10.95

D0715578

*Dans la même collection :*

*A paraître :*

© Carl Hanser Verlag, 1983 et
Fischer Taschenbuch Verlag, 1985
pour le chapitre 5
© Rivages, 1986
5-7, rue Paul-Louis Courier - 75007 Paris
10, rue Fortia - 13001 Marseille
ISBN : 2-86930-020-4

# WIM WENDERS

## PAR PETER BUCHKA

TEXTE FRANÇAIS DE
CHRISTOPHE JOUANLANNE

RIVAGES

## Note sur l'iconographie

Photos tirées des films : Gerhard Ullmann.
Crédits photographiques : Adam Olech (3), Agentur Rabanus (3), Mina Kindl (1), Isolde Ohlbaum (1), Zoetrope Studio (1), Filmverlag der Autoren (1), Gray City, Inc. (1), U.P.I. (1), Nationalgalerie Museen Preussischer Kulturbesitz, Berlin (Ouest - 1), Kunsthalle Hamburg (1), Gemäldegalerie Dresden (1), Greno, Nördlingen (5 photos tirées de *Paris, Texas,* de Wim Wenders).

Dans ce livre toutes les photos de films sont sans exception des agrandissements effectués à partir des copies des films. La conséquence, c'est qu'elles perdent en netteté et qu'elles ont un trop gros grain, particulièrement quand elles sont tirées des premiers films en seize millimètres.

Nous remercions le Münchner Filmmuseum, le Filmverlag der Autoren, la Münchner Hochschule für Fernsehen und Film, la Neuen Constantin et Gray City, Inc. d'avoir bien voulu nous procurer et nous confier les copies des films.

## Sommaire

*« Mais le principal chez l'homme, ce sont ses yeux et ses pieds. Il faut qu'on puisse voir le monde et aller vers lui. »*
      Alfred Döblin : Berlin Alexanderplatz.

# Chapitre 1

## Evolutions

Pendant trois quarts de siècle, ce sont les praticiens qui ont fait vivre le cinéma. Grâce à eux, qui trouvaient de nouvelles solutions techniques pour ce qui cherchait à s'exprimer, le cinéma a conquis de nouvelles possibilités d'expression. Par la force des choses, chaque nouvelle génération construisait, à l'intérieur du nouveau média, à partir des acquis de la génération précédente ; et ce n'est certainement pas un hasard si la plupart des carrières exemplaires ont d'abord commencé tout en bas de l'échelle dans le système hiérarchisé des studios.

Apprendre, c'était voir les autres au travail, les imiter, poursuivre en fin de compte les expérimentations. C'est seulement relativement tard que l'industrie cinématographique a perdu ce caractère fondamentalement artisanal – quasiment lorsque tous les acquis techniques essentiels du cinéma eurent été constitués. A partir de ce moment, depuis 1960 environ, tous les renouvellements importants du cinéma ont trouvé leur origine, non dans le travail en studio, mais dans la réflexion sur le média. Les nouveaux cinéastes – et on dirait presque que c'est par mauvaise conscience qu'ils se sont donné ce titre au lieu de celui de metteur en scène – n'étaient plus d'anciens *cablemen* ou opérateurs au banc-titre ; c'étaient des critiques, des historiens du cinéma et, dans une proportion croissante, des étudiants des écoles supérieures de cinéma et des sections cinéma des universités. Ces nouveaux metteurs en scène n'en étaient pas venus à faire des films en travaillant – pour commencer, à des postes subalternes – sur des films, mais en voyant des films.

Wim Wenders fut le premier des metteurs en scène de ce que l'on appela alors le Jeune cinéma allemand à avoir étudié le

*L'Angoisse du gardien de but au moment du pénalty.*

cinéma dans les règles. Après des études interrompues de médecine et de philosophie, il fit partie de la première promotion de la Münchner Hochschule für Fernsehen und Film (Ecole supérieure de télévision et de cinéma de Munich) et il termina ses études en 1970 en y réalisant le film *Summer in the city*. Alors qu'il était étudiant, il écrivit – on voudrait presque dire que c'est typique de cette nouvelle sorte de cinéaste – des comptes rendus de film pour la « Filmkritik » et la « Süddeutsche Zeitung ». A travers ces critiques, malgré leur méthode manifestement descriptive – véritablement positiviste – se font déjà jour une manière réfléchie d'aborder ce média, révélatrice de préférences affectives, mais aussi une autre caractéristique du travail de Wenders dans son ensemble (et qui explique peut-être les affinités et l'amitié qui le lient à Peter Handke) : faire des expériences, décrire ces expériences, et pour finir recueillir de nouvelles expériences à l'occasion de cette description et grâce à elle.

C'est peut-être pour cette raison qu'on peut toujours envisager la carrière et l'œuvre de Wim Wenders comme un processus continu et progressif d'apprentissage. Aucun autre cinéaste allemand n'a poursuivi son chemin avec autant de patience et de détermination que Wenders. Il a dit lui-même un jour qu'à

8

John Ford : *la Prisonnière du désert.*

chaque nouveau film il avait renoncé à quelque chose et gagné quelque chose de nouveau. Jusqu'au départ pour l'Amérique – qui avait toujours été prévu ou du moins espéré secrètement, mais qui, avec l'offre de Coppola pour *Hammett,* se produisit plus tôt que prévu – Wenders avec une régularité réfléchie, avait réalisé chaque année un long métrage avec la même équipe. Cette opiniâtreté et cette constance avec lesquelles il conquiert pas à pas un nouveau monde, sans jamais de fuite en avant inconsidérée qui le contraigne par la suite à revenir en arrière pour se mettre à couvert, contiennent évidemment le secret de la détermination et de la perfection qui sont propres à l'œuvre de Wenders jusqu'à aujourd'hui.

On pourrait tout aussi bien juger de manière négative une telle démarche, dire qu'elle est timorée, qu'elle ne prend pas de risques, qu'elle est peut-être même secrètement conservatrice. S'il en était ainsi, un tel jugement porté sur son œuvre serait un verdict sévère, certes, mais justifié. Face à la réalité, rien de ce qui pactise avec elle par pur souci de conservation ne tient esthétiquement. Ce qu'un tel jugement manquerait en tout cas, c'est que Wenders, avec son hostilité évidente à tout ce qui est purement spectaculaire, voit précisément dans sa propre dynamique – pour laquelle

9

il trouve, dans *Au fil du temps,* l'image de la croix de Malte – le centre névralgique secret de toute opposition traduite en termes esthétiques à ce qui existe. L'art, écrivait Adorno, « acquiert sa spécificité en se séparant de ce par quoi il a pris forme. La loi de son mouvement constitue sa loi formelle. Il n'existe que dans le rapport à son *autre* et est le processus qui l'accompagne » [1]. L'absence apparente de la politique chez Wenders apporte précisément la preuve du procès que celui-ci a intenté à travers ses films à la situation politique. Au fond, Wenders appartient au petit nombre de cinéastes qui ont pris et satisfait la revendication de Godard selon laquelle l'important est de faire des films politiquement au lieu de tourner des films politiques.

Ce mouvement esthétique n'est évidemment qu'un aspect de l'évolution du cinéaste Wenders – le plus important naturellement et qui retiendra principalement notre attention dans ce livre. Mais parallèlement aux processus d'apprentissage cinématographiques, il s'en accomplit nécessairement d'autres qui sont, au sens le plus étendu, politico-cinématographiques.

L'étudiant Wenders réalise avec des condisciples et des amis ses premiers courts métrages pour l'Ecole Supérieure et avec le soutien financier de celle-ci. Chacun occupe auprès des autres des fonctions déterminées ; on se soutient mutuellement. Wenders s'occupe par exemple de la photographie sur le tournage de *Ten Years After* de Mathias Weiss (le premier film grand écran en 16 mm, comme il s'en souviendra plus tard, non sans fierté, lors des travaux préparatoires pour *Hammett).* Des débutants, qui n'ont rien d'autre que leur amour du cinéma, qui apportent au mieux une expérience de spectateur mais n'ont aucune expérience de cinéaste, essaient d'apprendre ensemble un métier, pour lequel il n'existe alors en Allemagne aucun maître. Les résultats sont nécessairement rudimentaires, pour la photographie surtout. Des plans figés, le plus souvent trop longs, pour lesquels on a même créé le concept exagérément élogieux de « style munichois ». Mais ce style n'était rien d'autre qu'une nécessité faite vertu. Mais l'effet de cette vertu fut durable, et on s'en aperçoit encore avec les derniers films de Wenders.

Cet apprentissage du métier, sans aucune relation directe avec des gens capables de les former et de leur servir de modèle, n'était qu'un aspect visible de l'absence presque totale de moyens que

1. Th.W. Adorno, *Théorie esthétique,* traduit de l'allemand par Marc Jimenez, Klincksieck, Paris, 1982, p. 11.

connaissait le Jeune cinéma allemand à la fin des années soixante. Mais après tout, avec de l'imagination et en adaptant intelligemment ses conceptions esthétiques aux moyens disponibles, il était possible de dissimuler, voire de pallier cette insuffisance. *Summer in the city* − exactement comme la *Chronique d'Anna Magdalena Bach* de Straub ou le *Bouc* de Fassbinder − n'aurait certainement pas été, avec un plus gros budget et une meilleure technique, un meilleur film, mais, tout au plus, un autre film.

Fait plus contraignant, il n'y avait pratiquement plus d'industrie cinématographique allemande en état de fonctionner. Il n'en subsistait que de malheureux restes : des producteurs qui surnageaient avec des films à l'eau de rose ou des films érotiques ; la société de distribution Constantin, qui ne se risquait quasiment plus à faire du non-conventionnel ; tous ceux-là, et la majorité des propriétaires de salles, se rassemblèrent dans une opposition presque militante au Jeune cinéma allemand. Aux yeux de ceux qu'on nommait la vieille garde, les « jeunes » ne produisaient que « des films pour instituts d'aveugles » − des films que personne, prétendaient-ils, ne voulait voir.

Pour avoir, en tout état de cause, un avenir en tant qu'auteurs de films, les jeunes metteurs en scène devaient prendre pied dans le circuit commercial du cinéma. Dans ce domaine aussi, le parcours de Wenders est exemplaire pour celui des cinéastes de sa génération. Il s'en distingue, au mieux, en ce qu'il l'a accompli avec le même esprit de suite et la même circonspection que son parcours de cinéaste. En 1971 Wenders fonde, avec quatorze autres cinéastes munichois, le Filmverlag der Autoren, qui devait, sous la direction de Laurens Straub, assurer la commercialisation des films, puis la P.I.F.D.A. (Produktion 1 im Filmverlag der Autoren) qui − en collaboration le plus souvent avec la télévision − se chargeait du financement et de la production des projets. Lorsqu'en 1974 la P.I.F.D.A. fit faillite à cause de difficultés de trésorerie après vingt-cinq productions tout de même − parmi lesquelles les films de Wenders l'*Angoisse du gardien de but au moment du pénalty, la Lettre écarlate* et *Alice dans les villes* − Wenders fonda sa propre société de production ; plus tard, il prit aussi une participation dans la société de production Road Movies. Wenders resta aussi − en compagnie d'Hark Bohm, Uwe Brandner, Rainer Werner Fassbinder et Werner Herzog − actionnaire du Filmverlag, même lorsque Rudolf Augstein prit la majorité dans la société de distribution et la réorganisa.

Pourtant, il ne suffisait pas alors − pas plus qu'aujourd'hui −

pour être cinéaste en Allemagne, de maîtriser son métier, d'avoir sa propre société de production et éventuellement d'être intéressé dans une société de distribution. D'une certaine manière il ne s'agit là que des préalables nécessaires sur le marché du cinéma pour pouvoir continuer à exercer tant bien que mal sa véritable profession, à savoir celle d'auteur de films. Wenders est, de ce point de vue, non pas une exception mais plutôt le cas normal.

Mais le cas normal, c'était aussi que la plupart des jeunes metteurs en scène allemands n'avaient pas d'argent propre – et Wenders non plus – avec leurs sociétés de production de la taille d'une petite entreprise familiale, qu'ils n'obtenaient jamais de crédits bancaires sans l'appui d'une société comme cela se faisait couramment autrefois sur le marché du cinéma. Sans la politique nationale d'aide au cinéma, avec ses différentes commissions et sans la collaboration des sociétés de télévision de droit public, presque aucun film allemand d'un certain niveau de qualité n'aurait vu le jour dans les années soixante-dix. Mais cela ne signifie pas seulement un allongement substantiel du temps de préparation, provoqué par les parcours souvent laborieux à travers différents comités et institutions ; cela signifie aussi qu'il

Pendant le montage de l'*Etat des choses*.

12

faut satisfaire à certaines normes et montrer qu'on sait attendre. Depuis que Wenders fait des films en professionnel, c'est-à-dire depuis *l'Angoisse du gardien de but,* jusqu'à son départ pour l'Amérique, il a toujours travaillé, toujours dû travailler en collaboration avec la télévision ; et ce n'est sûrement pas un hasard s'il n'a pas obtenu la coproduction habituelle, mais seulement l'avance sur recettes, sensiblement moins importante, pour *Au fil du temps* qui fut commencé sans scénario achevé.

Mais les cinéastes, en Allemagne – en tout cas, et précisément ceux qui pensent, en raison d'abord de la distance critique qu'ils entretiennent avec l'Allemagne, qu'une œuvre d'art doit être étroitement liée à son pays d'origine parce que c'est seulement ainsi que certaines expériences sont possibles – sont, il est vrai grevés d'une hypothèque qui pèse infiniment plus lourd que les conséquences de la déconfiture de l'industrie cinématographique telles que nous les avons esquissées. Allemands, ils n'héritaient pas seulement de la culpabilité immense que la barbarie hitlérienne allait faire peser sur eux un quart de siècle encore après ce qu'on appelle l'effondrement, ils avaient aussi, en tant que cinéastes, à supporter le poids des compromissions de

Wenders dans *Summer in the city.*

Figures paternelles : Hitler, l'héritage imposé *(Au fil du temps)*.

John Ford, le père inaccessible.  (*Alice dans les villes*).

Fritz Lang, le père émigré.  (*l'Etat des choses*).

15

l'industrie cinématographique allemande dans ces atrocités, un poids que le cinéma allemand d'après-guerre, un moment embarrassé par l'ampleur réelle de sa culpabilité, rejeta bientôt presque totalement.

Wenders en a mesuré les conséquences, sensibles jusque dans l'accueil fait au Jeune cinéma allemand, dans un compte rendu polémique du film *Hitler, une carrière* de Joachim C. Fest et Christian Herrendoerfer, qui témoigne de son engagement critique : « Je ne crois pas qu'il y ait, nulle part ailleurs que chez nous, une telle perte de confiance dans nos propres images, nos propres histoires et nos propres mythes. Nous, les metteurs en scène du Jeune cinéma allemand, avons le plus vivement ressenti cette perte en nous-mêmes, dans le manque, l'absence d'une tradition propre, en tant que nous n'avons pas de père, et, chez les spectateurs, dans leur perplexité et leur peur naissante... Il y a de bonnes raisons à cette méfiance. Car jamais auparavant et dans aucun autre pays on ne s'est servi des images et de la langue avec aussi peu de scrupules qu'ici, jamais auparavant les images et la langue n'ont été à ce point rabaissées au rang de véhicules du mensonge »[1].

Sans tradition, sans figures paternelles qui puissent offrir un modèle, sans langage cinématographique qui ne soit contaminé par le mal passé, le jeune cinéma allemand se trouvait devant une tâche presque impossible. Le déclin dont il est menacé maintenant, vingt ans après le manifeste d'Oberhausen[2], par des auteurs assez médiocres, est plus que la conséquence de certaines dispositions individuelles ou d'une politique des commissions, qui favoriserait le conservatisme : nous n'avons toujours pas vu clair, aujourd'hui encore, dans les contradictions et l'extraordinaire complexité de la situation de départ qui existait dans les années soixante-dix.

Ce commencement était naturellement une négation, une opposition au « cinéma de grand-papa ». Le titre du premier film nouveau réellement important, *Abschied von Gestern* (« Adieu à hier »[3]), réalisé en 1966 par Alexander Kluge était vraiment programmatique. Mais la négation de ce qui existe n'était apparemment pas possible sans la base solide de la tradition. On

1. Wim Wenders, « That's entertainement : Hitler », in « Die Zeit », le 5 août 1977.

2. Le manifeste d'Oberhausen, signé le 28 février 1962 par 26 cinéastes, acte de naissance du Jeune cinéma allemand (N.D.T.).

3. Le film est distribué en France sous le titre *Anita G.* (N.D.T.).

pourrait presque dire que c'est précisément pour cette raison que l'adieu à hier devint une nostalgie de l'avant-hier. Toute une génération de cinéastes s'est employée avec une véritable fièvre à retrouver dans le passé des germes de cette humanité que Hitler semblait avoir totalement anéantie. Mais les contradictions se sont ainsi fait jour, aussi légitime qu'ait pu être cette recherche du nouveau dans l'ancien. Car la tradition se perpétue par la transmission et suppose un contact des générations qui était, dans la « société sans père » de l'Allemagne de l'après-guerre, totalement rompu. Rien ne pouvait, sur le plan esthétique, suppléer cette perte de la tradition, à laquelle d'ailleurs toute forme d'art de quelque valeur a réagi après la guerre. Tout à l'espoir d'une redécouverte, on se dissimulait souvent qu'en réalité on ne faisait que chercher refuge dans la convention, dans ce qui existait déjà. Et cette fausse tradition brillait alors de l'éclat d'une fausse richesse. Qu'on en soit finalement arrivé en Allemagne à faire de l'adaptation de sujets littéraires, un véritable genre spécifique que chacun aborda à bon droit selon son idiosyncrasie, prouve combien cette recherche de la tradition avait aussi quelque chose d'irréfléchi.

Wenders a, lui aussi, participé à cette recherche. Mais il se détourne par ailleurs, très tôt et très résolument, de cette fausse tradition — et ceci s'explique moins, à ce que je crois, parce qu'il en aurait prévu les conséquences négatives que par la sûreté instinctive et les scrupules du bon artisan. Mais c'est là précisément ce qui explique la qualité de cet artiste. Après *la Lettre écarlate,* Wenders annonça qu'il ne ferait plus jamais un film dans lequel on ne verrait ni voiture ni antenne de télévision. Ce qui s'exprime là, ce n'est pas la recherche à bon marché de solutions de facilité mais, bien au contraire, une attention vigilante aux manipulations trop faciles, qui, au moyen d'un décor bon marché et d'un angle de vue limité, attentent à ce qui est perdu sans retour et que le progrès n'avait jamais à ce point défiguré et souillé, dont la disparition n'était pas encore réellement aussi définitive que voudrait le faire croire la perspective historiciste.

On se mit soudainement à encourager officiellement les metteurs en scène à établir des liens avec la tradition, et ce n'est sûrement pas un hasard si ce sont les meilleurs d'entre eux qui ont manifesté, à partir de l'année 1977, une allergie croissante vis-à-vis de l'aspect fallacieux que prenait ce retour à la tradition. La tentative désespérée qui avait marqué les débuts du Jeune

17

cinéma : triompher, par un retour à l'ancienne culture – et par là naturellement aussi à l'ancienne littérature – de cette cassure dans la tradition que représente l'époque hitlérienne, cette tentative s'était retournée en son contraire, du fait d'une dynamique propre à ce qu'on a appelé le cinéma subventionné – c'est-à-dire du fait de l'examen des projets par la commission des subventions de l'Institut de promotion du cinéma et par les salles de rédaction des sociétés publiques de télévision. On en vint à considérer que les adaptations de sujets littéraires reconnus offraient une assurance contre la créativité débordante mais aussi quelque peu contestable des auteurs, et on les appréciait en même temps parce qu'elles donnaient au cinéma l'alibi de la fécondité culturelle. Fassbinder fut le premier à déclarer publiquement, lors du festival de Berlin en 1977, que les films devenaient de ce fait de moins en moins personnels, de moins en moins libres, car presque plus rien ne se réalisait encore sans ces subventions et ces coproductions.

Ça n'était peut-être qu'un phénomène de mode né d'un malaise et du dégoût, mais, alors même qu'à l'étranger, après avoir ignoré pendant pratiquement quarante ans le cinéma allemand, on lui montrait à nouveau du respect et de l'admiration, les cinéastes allemands voulaient vider leur sac à la figure des commissions. Après la remarque inconsidérée de Fassbinder, selon laquelle il aimerait mieux à l'avenir être balayeur en Amérique du Sud qu'être plus longtemps cinéaste en Allemagne, tout un chacun affichait des intentions d'émigrer, ou tout au moins de renoncer aux longs-métrages, en employant le ton virulent de l'époque. Wenders s'est largement tenu à l'écart de ce débat. C'est plutôt par jeu qu'il lance, à l'intention de Fassbinder, dans l'article déjà cité du « Zeit » consacré au film de Fest sur Hitler, des arguments en faveur de l'émigration. Wenders n'avait pas pris ce parti mais il fut ensuite l'un des rares à partir réellement.

Le hasard a certainement joué un rôle. Mais a posteriori pourtant il paraît assez logique qu'il ait sauté le pas. On est surpris, et Wenders le fut certainement aussi, que ce fût si tôt, mais on ne peut guère douter qu'il l'eût espéré, qu'il l'eût même escompté, car Hollywood – ou du moins la périphérie d'Hollywood – en dépit de son système détesté, conservait une incroyable force d'attraction. De toute manière, après *l'Ami américain* déjà, Wenders voulait faire son prochain film ailleurs qu'en Allemagne : il projetait de faire un film de science-fiction chez les aborigènes d'Australie (comme d'ailleurs Werner Herzog, qui lui aussi, ne partit pour l'Amérique qu'après avoir tourné en Australie). Wenders était en Australie, déjà à la recherche de son sujet, lorsque Francis Ford Coppola lui offrit d'adapter, pour sa société de production à San Francisco, le roman policier de Joe Gores, *Hammett*.

À partir de ce moment-là, tout alla très vite et pourtant avec une lenteur infinie. La carrière de Wenders, dont on aurait dit jusqu'alors qu'elle avait été planifiée sur une table d'architecte et réalisée ensuite aussi exactement qu'elle avait été tracée, après un moment d'euphorie, se mit à divaguer. Il s'envola d'Australie, comme il en avait déjà le projet, avec Lisa Kreuzer qui partageait alors sa vie, pour aller voir « l'ami américain », Denis Hopper. Au cours de ce séjour américain, il se mit d'accord avec Coppola. Lors du premier festival d'hiver en 1978, à Berlin, il me dit qu'il devait partir pour San Francisco dans une semaine ; il voulait écrire le scénario dans l'appartement où Dashiell Hammett avait lui-même habité pendant quelque temps. Le tournage devait débuter à la fin de l'été ; il voulait revenir au printemps 79 avec le film terminé pour le synchroniser à Munich.

J'avais voulu faire ce livre en étroite collaboration avec Wim, et j'avais maintenant juste le temps, deux jours avant son départ, d'aller chercher les scénarios de ses films dans la vieille villa de Munich-Harlaching. Cette maison où s'entassent les souvenirs comme le juke-box d'*Alabama,* le tableau où est peinte une locomotive bleue de *l'Ami américain* et la Volkswagen rouge du plan final de ce même film, m'avait toujours rappelé quelque peu la villa inachevée de l'industriel dans *Faux Mouvement.* Nous avions parlé pour la première fois de ce livre dans la grande cuisine. A une époque où il n'y avait encore pour ainsi dire pas de livres de cinéma en Allemagne, il trouvait naturel que quelqu'un veuille écrire un livre sur lui et sur les quelques films qu'il avait faits. Son unique préoccupation, qui est très significative, était qu'un livre pourrait, en donnant une description de l'œuvre accomplie jusqu'à maintenant, donner l'impression que cette œuvre serait déjà close, qu'elle serait quelque chose de définitif qu'on ne saurait plus changer, ni faire évoluer : « comme si l'auteur était déjà mort ».

Il lui semblait que les images étaient le contrepoison qu'il fallait opposer à la tentation de transformer le livre en cercueil. « Il faut que ce soit un livre d'images ». Il n'exprima pas la confiance qu'il avait dans la capacité des images à résister au temps, à conserver une certaine tranche de la vie d'un homme, des hommes, et de la

Wenders avec Francis Ford Coppola dans les décors de *Hammett*.

Wenders avec Fassbinder et Herzog pendant de tournage de *Chambre 666* à Cannes en 1982.

garder en vie tout à la fois ; bref, d'arracher, malgré le cours du temps, quelque chose à la mort et à l'oubli ; au lieu de ça, nous avons eu une conversation un peu filandreuse et embarrassée sur la philosophie de la perception de Descartes, qui donnait une idée vague des intentions de Wim, plutôt qu'elle ne les faisait comprendre.

C'était bien sûr tout à fait logique. Wenders se méfiait des idées qu'on reprend simplement à son compte ; la génération du mouvement étudiant de 68 s'en était souvent servi abusivement, pour des batailles de mots ou pour dissimuler des préjugés. Et, de même que Descartes voyait dans l'incessant exercice de sa pensée, dans la mise en doute continuelle de toute certitude, la certitude de son existence, Wenders la voyait dans la patience du regard, dans une perception dénuée d'a priori, dans une perpétuelle disposition à réviser et élargir ses vues par des manières de voir toujours nouvelles : *video, ergo sum.*

Puis il est parti. Et ce qui représentait pour lui de nouvelles expériences, de nouvelles vues et de nouveaux points de vue, était, pour chacun de ceux qui avaient pris part à son travail, un long adieu et une petite mort. Il faut bien comprendre ceci : il ne s'agissait pas seulement de sa carrière personnelle. Et ce n'est sûrement pas un hasard si les Munichois et le monde du cinéma allemand ont bientôt vu en Wenders, avec un peu d'envie, une sorte d'enfant qui donne du souci. Ça a un petit air provincial mais c'est symptomatique : dès que quelqu'un de la profession revenait d'Amérique, les premières questions portaient presque automatiquement sur Wenders. Ce besoin de savoir : « Et Wim, là-bas, comment va-t-il ? » trahissait un intérêt profond qui dépassait sans aucun doute la personne de Wenders et jette un éclairage cru sur la fonction qu'il occupait.

C'est qu'il avait grandi avec le cinéma allemand. Ses films, ses moyens artistiques et techniques reflétaient à chaque fois exactement le niveau qualitatif atteint par le cinéma allemand. Ses films n'ont jamais donné l'impression de vouloir plus qu'ils ne pouvaient. Mais chaque film a permis à Wenders d'élargir ses possibilités, de faire reculer ses limites. C'est ce qui a fait de lui le seul véritable artisan, au sens strict que ce mot avait dans les corporations du Moyen Age. C'est précisément pourquoi « l'appel de l'Amérique » est chez lui parfaitement logique. Et Wenders voulait aussi travailler dans les conditions américaines, pas seulement − comme Herzog le fit avec *Nosferatu* − avec de l'argent américain dans des conditions qu'il aurait lui-même fixées.

Qu'il ait eu raison ou tort, qu'il en ait eu conscience ou pas, il lui fallait montrer de quoi le cinéma d'auteur, le cinéma artisanal venu d'Allemagne était capable dans les conditions de travail industrielles de l'Amérique, montrer s'il était capable de s'imposer, c'est-à-dire de conserver son identité. Il était comme une avant-garde dans une région dangereuse où les autres cinéastes allemands, en cas de succès, n'auraient eu que trop envie de le suivre. Wenders, au début, a encore entretenu l'espoir que représentait, pour le cinéma d'auteur parvenu à ses limites, le passage, qui lui était d'un certain point de vue tout à fait nécessaire, au professionnalisme des Américains : « Je ne fais pas du cinéma américain. La production est américaine, mais le film que je fais est de moi », déclarait-il dans une interview télévisée donnée pour l'émission *Schaukasten*. « Je crois que les Américains l'ont compris... Parce qu'ils ont réellement l'espoir que quelque chose bouge dans leur système. Il faut dire qu'ils se sont pas mal fourvoyés. Ces productions géantes, on ne voit plus que ça partout : elles sont jouées d'avance, du début à la fin. Et ça ne mène absolument à rien d'autre. Je serais prêt à croire qu'ils espèrent qu'il va se produire quelque chose du même ordre qu'au début des années trente, lorsque beaucoup de cinéastes européens, venus surtout d'Allemagne, sont arrivés ici et qu'ils ont donné une extraordinaire impulsion à l'industrie cinématographique américaine »[1].

Mais il mettait ainsi le doigt sur le traumatisme des cinéastes allemands. Une fois déjà, des cinéastes allemands comme Lubitsch et Murnau avaient remis sur pied un cinéma hollywoodien qui s'était enlisé dans le style débraillé du slapstick et, surtout, avaient orienté sur lui les projecteurs de la culture européenne, nécessaires pour lui rallier le public bourgeois ; et, ce qui n'est pas le moins important, ils avaient ouvert une brèche où se sont engouffrés, quelques années plus tard, les nombreux émigrants qui fuyaient vers Hollywood l'Allemagne de Hitler et cherchaient

1. Le texte de cet interview a été publié dans le n° 264, décembre 1978, de la revue « Filmkritik ». Dieter Adler : Das grosse Geld, die Angst und der Traum vom Geschichtenerzähler − Ein Interview mit Wim Wenders (L'argent, l'angoisse et le rêve du conteur d'histoire − une interview de Wim Wenders). Enregistrée à San Francisco entre le 16 et le 23 juillet 1978 pour l'émission *Schaukasten* de la chaîne de télévision A.R.D., et commandée par le département cinéma de la W.D.R., Cologne.

là-bas du travail. Mais du fait même qu'ils ont dès lors dépendu de leur travail, ils ont été très vite accaparés par l'industrie, et ont ainsi perdu leur style personnel. Wenders avait vu, en toute connaissance de cause, les films américains de Fritz Lang dans l'ordre chronologique. « Je voulais voir quelle expérience il avait faite... On peut y lire beaucoup de choses... et aussi, sur la durée, quand on les voit les uns après les autres, on peut y lire un échec, il y a un véritable dérapage, on le voit peu à peu devenir quelqu'un qui travaille pour l'industrie, et non plus à partir de lui-même. Je crois que les circonstances dans lesquelles je travaille sont bien, bien meilleures. »

Mais cela, il le disait en juillet 1978, cinq mois exactement après son arrivée à San Francisco. Si tout s'était passé conformément au plan initial, Wenders aurait déjà dû, à ce moment-là, avoir fait la moitié des préparatifs du tournage. Mais les espoirs de l'artisan indépendant ne se dissipaient pas dans l'expérience qu'il faisait de l'industrie et des dépendances qu'elle impose. Le scénario devait sans cesse être récrit ; la distribution posait des difficultés parce que les délais étaient sans cesse repoussés (c'est Robert de Niro qui devait d'abord jouer Hammett) ou parce qu'on ne parvenait pas à accorder des conceptions différentes. Mais la véritable raison de ces atermoiements incessants était en fait que Coppola, l'« executive producer », ne voyait pas le bout de son gigantesque projet personnel, *Apocalypse Now,* et que, de ce fait, il avait besoin, pour son propre film, des fonds prévus pour *Hammett.*

Entre-temps, au printemps 1979, alors que s'accumulaient les difficultés avec le studio et que tout semblait momentanément bloqué, Wenders tourna, « par impatience », comme il l'a admis, le film *Lightning over water,* avec Nicholas Ray qui était en train de mourir. Vu d'Europe, on ne pouvait pas ne pas avoir l'impression que Wenders voulait à tout prix devenir un metteur en scène américain − il avait épousé entre-temps la comédienne Ronee Blakley et s'efforçait d'obtenir son admission à la légendaire « Director's Guild ». Malgré cela il se révélait maintenant rentable d'avoir conservé des liens avec l'Allemagne. En étant maintenant son propre producteur, il pouvait, avec l'argent des subventions allemandes, faire en toute indépendance tout ce que ne permettait pas le système américain : travailler rapidement, avec spontanéité et, surtout, avec des gens de son choix.

1. *Ibid.*

On a l'impression que c'est seulement *Lightning over water* qui a remis *Hammett* en route. Tandis que Wenders mettait la dernière main à son propre projet, signifiant par là indirectement à Coppola qu'il n'était pas entièrement dépendant de lui, les préparatifs de *Hammett* furent intensifiés. Wenders dut entièrement laisser le soin du montage de *Lightning over water* à Peter Przygodda, son monteur depuis longtemps, afin que le film pût être terminé à temps pour le festival de Cannes. Le 20 février 1980, on annonça alors dans « Variety » que le tournage de *Hammett*, attendu depuis longtemps, commençait : *« Zoetrope Studios and Orion Pictures company are proud to announce that principal photography has commenced in San Francisco. »* Les difficultés du cinéaste européen dans la métropole de l'industrie cinématographique semblaient surmontées.

C'était seulement une apparence. Lorsque Wenders vint à Cannes avec Ronee Blackley en mai 1980 pour l'avant-première de *Nick's movie - Lightning over water,* les difficultés sont déjà revenues. Wenders a dépassé les délais qui lui étaient impartis pour *Hammett,* il n'a pas encore d'épilogue et Coppola lui retire l'acteur principal, Frederic Forrest, pour les besoins de son propre projet, *One from the heart.* Wenders est nerveux ; il ne sait quel accueil les Européens lui réserveront à son retour ; et il a besoin d'un succès. Il se méfie particulièrement des collègues et des journalistes allemands. Il sait qu'ils savent de quelle façon peu délicate il s'est séparé de Lisa Kreuzer en la laissant seule face aux difficultés du ménage. Il craint – et il a raison – qu'ils ne lui tiennent rigueur de cette faiblesse humaine et – mais il a tort – qu'ils n'éprouvent une joie mauvaise devant ses difficultés professionnelles. Au contraire, l'opiniâtreté du combat que mène Wenders pour imposer sa propre conception de *Hammett* lui attire la sympathie des Européens. Il est fêté comme une star, qui, héroïquement, s'est fait le champion du film d'auteur dans le repaire de l'industrie cinématographique commerciale.

L'avant-première de *Lightning over water* – le film passe hors compétition – est une grande victoire morale : les festivaliers voient avec saisissement un document bouleversant sur la mort de l'un des grands de la profession. Wenders a ce dont il avait besoin : l'approbation, la faveur, le succès. Il reprend confiance en lui ; il voit de nouveau qu'il lui est possible de faire des films qui recueillent intérêt et admiration. On en avait déjà publiquement douté chez Zoetrope. Mais le film ne le satisfait pas entièrement. Le montage de Przygodda le fait trop pencher vers le documentaire. Son idée avait été de se livrer à une réflexion sur la création cinématographique, qui aurait hésité entre le document et la fiction. En attendant que l'acteur qui joue *Hammett* soit à nouveau disponible, il refait lui-même le montage de *Lightning over water*

En septembre 80, à la Biennale de Venise, la version de Cannes est projetée encore une fois. Wenders, qui a entre-temps dissimulé son visage derrière une barbe, est ici aussi − avec Fassbinder qui présente *Berlin Alexanderplatz* − fêté comme une star et assiégé par les journalistes. L'avant-première de la nouvelle version a enfin lieu deux mois plus tard aux Hofer Filmtage. L'accueil du public allemand est favorable, mais relativement réservé. Wenders lui-même est pour la première fois quasi officiellement de retour en Allemagne où il n'avait fait que de fugitives et discrètes apparitions pour de brèves discussions avec ses producteurs ; il revit aussi pour la première fois Lisa Kreuzer... Il y a manifestement de la gêne dans ses rapports avec les vieux amis et collègues de travail, dans l'atmosphère familière de Hof, même si chacun s'efforce d'ignorer les barrières pourtant sensibles. Le Wenders taciturne et réservé d'autrefois a changé : il est plus professionnel mais plus distant aussi. Tout cela faisait un peu l'effet de l'oncle mondain revenu pour un week-end au sein d'une famille petite bourgeoise, et personne, de part et d'autre, ne sait trop ce qu'ils ont à faire ensemble.

Et cette gêne est sensible jusque dans la réception du film. Certes, Wenders reçoit pour *Lightning over water* un Bundes filmpreis (Prix cinématographique fédéral) − et cela une année où le jury n'a distingué que quatre films (habituellement il y en a sept). Mais, dans les salles, même si l'on tient compte du fait que Wenders n'avait encore jamais connu de succès commercial notable, le film est un échec. Lorsque Jean-Luc Godard se moque complaisamment des difficultés de Wenders, au cours d'une conférence de presse des Berliner Filmfestspiele (Godard s'était installé pendant un temps dans le bureau de Wenders à la Zoetrope, parce qu'il voulait lui aussi faire un film chez Coppola), il a depuis longtemps les rieurs de son côté. Aucun doute : Wenders et son public, en Allemagne, étaient devenus étrangers l'un à l'autre.

Entre-temps, Wenders avait fondé, à New York, avec Chris Sievernich, le directeur de production de *Lightning over water,* sa propre société de production, Gray City Inc. Elle ne devait pas seulement se charger de la distribution des films de Wenders en

Amérique mais surtout constituer une espèce de tête de pont – qui permit à Wenders de rester en Amérique en tant que cinéaste indépendant (car, de toute façon, revenir en Allemagne sans avoir achevé *Hammett* lui aurait semblé une défaite pénible qui aurait anéanti toute sa confiance en lui-même) et en même temps de conserver, par rapport au système de promotion du cinéma en Allemagne, sa capacité d'exercice, en étant quasiment son propre coproducteur grâce à Road Movies. Gray City Inc. fut la « place de résistance » * au bon moment, car *Hammett* était encore une fois dans une impasse.

Par besoin d'élever un monument à la gloire de sa compagne du moment, Wenders avait fait entrer Ronee Blackley dans le film, contre la volonté de Coppola, et n'avait cessé ensuite de donner de l'ampleur à son rôle. Coppola fulminait : « C'est le plus mauvais film que j'aie jamais vu » ; ce mot fut fielleusement colporté. Au lieu de tourner seulement l'épilogue qui n'existait toujours pas, Wenders était condamné à recommencer quatre-vingt pour cent du tournage, c'est-à-dire pratiquement le film en entier. Ça faisait maintenant quatre ans qu'il était en Amérique, son cachet de cent mille dollars était depuis longtemps dépensé, et le film en était presque revenu à son point de départ. Il avait même rompu avec Ronee Blackley. Wenders se sentait ruiné, il était à bout. Il n'avait pas même l'excuse morale d'un Werner Herzog dont le *Fitzcarraldo* était sans cesse menacé et retardé par des catastrophes naturelles. Au milieu de 1981, Wenders dut avouer qu'il avait échoué.

Ici intervient, d'une manière tout à fait décisive, l'effet de surprise dû au hasard, que Wenders aime tant dans les arguments de ses films, mais qu'il a toujours cherché à éliminer du cours de sa carrière, et qui, pourtant, depuis que Coppola l'a contacté par téléphone en Australie, a dominé cette carrière de façon si catastrophique. Le cinéaste latino-américain Raoul Ruiz tourne au Portugal, un remake du film de Roger Corman *The day the world ended* et, au cours du tournage, l'argent et la pellicule viennent à manquer. Wenders veut l'aider à sortir du pétrin dans lequel lui aussi se trouve. Au cours du vol qui le ramène de Berlin à New York, il fait escale à Lisbonne pour offrir à Ruiz la pellicule qui lui était restée après le tournage de *Lightning over water*. Il voit alors l'hôtel démoli par la tempête et fait la connaissance du caméraman français Henri Alekan. Il reste quelques jours et conçoit, dans

---

(*) En français dans le texte.

l'avion encore, l'argument de *l'Etat des choses*. Wenders cherche à constituer un team, Sievernich racle les fonds de tiroirs dans toute l'Europe pour trouver l'argent petit à petit et commande dans le monde entier, de l'Amérique au Japon, de la pellicule noir et blanc, dont les stocks sont presque épuisés et dont la fabrication demande habituellement un trimestre. Wenders dira plus tard : « Tout a commencé par une idée venue spontanément au Portugal et inspirée par ce pays, et, deux semaines plus tard, le financement, la distribution, les préparatifs du film étaient bouclés et nous avons réellement commencé à tourner. Ça doit être une sorte de record pour un long métrage » [1].

Mais Coppola, au lieu de le laisser au moins achever ce film, recommence le « petit jeu » de *Lightning over water*. Bien qu'il n'y ait eu encore aucun accord sur un épilogue, Wenders doit pratiquement mettre en scène *Hammett* une deuxième fois. Il tourne en secret, comme il dit, son propre épilogue pendant les pauses de midi avec les comédiens qui sont prêts à l'aider : ce sont ces images en noir et blanc sorties de l'imagination de Hammett, où les personnages « réels » sont transposés dans les figures romanesques du *Faucon maltais*. Et pendant qu'il travaille, le jour, au montage de *Hammett*, il travaille la nuit à celui de *l'Etat des choses*.

Pourtant, comme s'il lui fallait encore être sur ses gardes, Wenders accepte l'invitation que lui fait son ami Peter Handke de mettre en scène son poème dramatique *Par les villages*, pour la création aux Salzburger Festspiele (festival de Salzbourg). Dans le même temps, il forme le projet du film *Langsame Heimkehr (Lent retour)* qui s'appuie sur la tétralogie de Handke qui porte le même titre et se compose de *Lent retour, l'Enseignement de la Sainte-Victoire, Histoire d'enfant* et, précisément, *Par les villages*. Le film doit raconter le retour d'un arpenteur autrichien vers la Carinthie depuis la lointaine Alaska par Los Angeles et New York. Et Wenders lui-même laisse entendre que maintenant, après que le bad trip de *Hammett* a connu une fin honorable, il pourrait revenir en Allemagne en passant par Paris.

Il vient précisément de tourner, pour la télévision française, un court documentaire sur la phase finale de *Hammett*. Tourner ce documentaire fait germer en lui le projet de faire des courts-métrages à la manière d'un journal irrégulièrement tenu, et qui,

---

1. Interview de mai 1982, qui figure dans le dossier de presse de *l'Etat des choses*, Filmverlag der Autoren, Munich 1982.

plus tard, une fois rassemblés en un tout, permettraient de porter un regard cohérent sur l'état du temps – une idée tout à fait typique de Wenders. Lors du festival de Cannes, où eut enfin lieu l'avant-première de *Hammett*, il profite de la présence de metteurs en scène de renom venus des pays les plus différents pour faire un collage d'interviews sur les perspectives d'avenir du cinéma. Le titre est donné par son domicile à l'hôtel Martinez sur la Croisette : *Chambre 666*.

Les perspectives d'avenir de Wenders dans le monde germanophone s'obscurcirent rapidement. Ses débuts au théâtre à Salzbourg, à en croire les réactions de la critique, auraient été un fiasco pur et simple. La mise en scène (Wenders : « un seul plan en cinémascope ») ne fut autant dire absolument pas examinée, la pièce de Handke, réputée a priori injouable du fait de son ton stylisé et solennel, fut totalement démolie. Pourtant Wenders s'était efforcé (et avec succès) d'éliminer toute emphase pathétique et de faire de la pièce l'histoire presque simple d'un retour au pays. L'histoire utilise au début largement l'immense plateau installé dans la Felsenreitschule de Salzbourg, puis se resserre de plus en plus autour des constellations que forment les personnages, jusqu'à ce qu'il ne reste plus à la fin, pour ainsi dire, qu'un gros plan de Nova, ce personnage qui annonce les temps nouveaux.

Bien que le travail de Wenders à Salzbourg ait été autant dire complètement ignoré, les commissions d'avance sur recettes, en Allemagne, ont tout aussi complètement porté à son compte l'éreintement de la pièce de Handke : pas d'argent pour *Lent retour*. Wenders, qui s'obstinait, caresse encore un moment l'idée de faire au moins un film documentaire sur sa vision du théâtre. A Salzbourg encore, il élabore un nouveau projet, *Transfixion*, d'après de brèves histoires de Sam Shepard. Le rêve du retour s'est dissipé. Il n'est même plus question de l'adaptation prévue du roman de Max Frisch, *Stiller*.

*Transfixion* doit être un *road movie* américain – une production peu chère et indépendante, un film sans pays d'origine, sans marque de provenance ; un film de Wenders, l'œuvre d'un voyageur infatigable, dont l'art est devenu la dernière patrie. Et ensuite, ainsi le prévoyaient les plans de Wim Wenders (combien de fois a-t-il dû changer ses plans, à compter du moment où il est parti pour la Californie en mars 1978), il devait faire ce film de science-fiction qui aurait dû avoir pour titre *l'Etat des choses* et être tourné en Australie – mais entre-temps, cet appel provenant de l'Amérique lui était parvenu. L'ancien projet a maintenant un nouveau titre : *Das Ende des Jahrhunderts - The End of the Century.*

Le film qui porte maintenant pour titre *l'Etat des choses* constitue, comme autrefois *Au fil du temps* dont il est le pendant, une somme des expériences de Wenders, dans lesquelles, comme toujours, la vie et le cinéma s'interpénètrent, parce que la vie de Wenders est indissolublement liée au cinéma, et que, par là même, son travail de cinéaste est, par bonheur, tout aussi indissolublement lié à une certaine conception de la vie. L'opiniâtreté avec laquelle Wenders s'attache à cette structure lui a causé bien des difficultés et, en Amérique, l'a conduit à casser le rythme de sa carrière soigneusement planifiée. Mais croire que *l'Etat des choses* ne serait qu'un règlement de compte avec les pratiques d'Hollywood en général et avec Coppola en particulier, c'est ne pas avoir bien regardé ses films.

A vrai dire Wenders a fait un mauvais calcul, car cette conception du travail cinématographique à laquelle il adhère avec un idéalisme obstiné n'est conciliable, étant donné les circonstances, avec aucun plan de carrière, pas plus à Hollywood qu'en Europe. Qui s'accroche aujourd'hui à une idée emphatique de l'art, de l'art cinématographique qui plus est, ne peut survivre à force de ruse et d'opiniâtreté que dans les recoins de l'industrie cinématographique : là où le prix de l'indépendance c'est de n'avoir plus de patrie, le prix de la vérité, la discrétion. Le Lion d'or décerné à l'*Etat des choses* lors de la Biennale de Venise — la première victoire de Wenders dans la compétition d'un grand festival — est la récompense bien plus morale et artistique, que financière, de cette opiniâtreté. La vérité et l'honnêteté se sont partout fait la réputation de n'être pas commerciales. Qui veut rester honnête vis à vis de lui-même ne doit pas se rendre à la raison contre sa propre raison. Wenders a jusqu'ici résisté à cette tentation. Lui si précautionneux, il a une fois forcé l'allure, au nom de ses rêves de jeunesse, et il a fait un faux pas ; mais il ne s'est jamais laissé non plus aveugler par ses rêves, ni par ses expériences. Le sérieux de sa nature d'artiste l'en a préservé. Mais à quel prix ! Il lui a fallu reconnaître que celui qui veut vivre et travailler sans être aliéné doit s'aliéner son entourage.

Avec l'*Etat des choses* Wenders fait, pour la deuxième fois, le bilan de son activité esthétique ; un aboutissement en-deça duquel il ne peut plus revenir sans mettre en jeu son sérieux en tant qu'artiste ; mais il ne peut non plus renier les résultats que cet aboutissement fait apparaître, s'il veut préserver la cohérence dont

Venise, 1982 : Wenders obtient le Lion d'or (photo U.P.I.).

son évolution témoignait jusque-là. En faisant une nouvelle fois en si peu de temps la somme de son activité créatrice, Wenders s'est lui-même contraint à une démarche morale qui implique, à tous égards, de grands risques.

Comme toujours avec un média coûteux comme le cinéma, les risques sont surtout sensibles sur le plan financier. Le film qui était au départ, sous le titre provisoire *Transfixion,* un *road movie* indépendant et bon marché devient au fur et à mesure que la production avance, de plus en plus important, cher et incertain. Wenders commence le tournage en automne 83 au Texas, bien que Sievernich, qui doit encore une fois rassembler petit à petit l'argent en s'adressant à différents coproducteurs dans de nombreux pays, n'ait pas encore établi le coût de l'opération. Le tournage doit être interrompu faute d'argent ; une brouille intervient entre Wenders et Sievernich, qui entraîne presque une rupture définitive. Il faut trouver des financements provisoires, qui se révèlent par la suite extrêmement catastrophiques. Et pour comble de malheur le cours du dollar connaît justement à cette époque une montée si spectaculaire qu'elle provoque à elle seule un dépassement d'un demi-million de marks. Il faut payer un prix énorme le rêve du travail non aliéné de l'artiste sans patrie.

Mais tous les efforts et toutes les charges semblent d'un seul coup oubliés, lorsque le film, sous le titre définitif *Paris, Texas,* est présenté en avant-première au festival de Cannes en 1984, quatre jours avant la clôture. Le succès est impressionnant. Des ovations debout pendant plusieurs minutes lors des trois projections, les critiques rivalisent d'enthousiasme. Sans aucune contestation la Palme d'or revient à *Paris, Texas.*

Mais ce n'est pas tout. Pour la première fois de sa carrière, Wenders, qui n'avait jusqu'alors jamais obtenu de résultats extrêmement prometteurs en matière de recettes, semble promis à un succès commercial. Le distributeur américain Twentieth Century Fox, qui avant le triomphe de Cannes n'avait même pas voulu acheter une partie des droits de distribution américains, en offre maintenant un million de dollars. En France, où en fait les droits ont été cédés en échange d'une participation à la coproduction, l'exploitation démarre avec cent cinquante copies, et le film atteint dans les trois premiers mois un million six cent mille spectateurs. Les risques semblent avoir été payants.

Mais la société de production Road Movies, qui souffre d'un manque chronique de capitaux, va-t-elle surmonter ses difficultés financières, va-t-elle connaître une réelle indépendance et pouvoir passer, après de longues années, à un mode de production relativement stable, moins hasardeux ? C'est le marché allemand qui en décidera, où Road Movies a conservé les derniers droits : les deux tiers des parts à l'intérieur du pays. Le tiers restant revient à la Projekt, la société de production du Filmverlag der Autoren, qui avait, en outre, versé à titre de participation à la production un dépôt de garantie de deux cent mille marks.

Mais le Filmverlag justement, dont Wenders était cofondateur et est toujours actionnaire, détermine sa politique de distribution en se basant sur les chiffres de l'*Etat des choses,* dont l'exploitation avait été un échec, pour ne pas dire plus. On ne tire pas non plus les conséquences du triomphe de Cannes, on s'en tient opiniâtrement à la bonne vieille stratégie de distribution mesquine et routinière et on fait la pub de *Paris, Texas* en le présentant – pure imbécillité – comme un « film d'amour ». Wenders, après plusieurs interventions, estime que le Filmverlag der Autoren n'offre plus la garantie d'une « exploitation satisfaisante » du film et, le 1er août 1984, dénonce le contrat de distribution. Ainsi commence le conflit juridique le plus déplaisant de l'histoire du Jeune cinéma allemand.

Il ne s'agit peut-être que d'une ironie de l'histoire du cinéma allemand, peut-être aussi d'une nécessité politique dans le domaine du cinéma dans tous les cas il y a une certaine logique interne dans le fait que ce soit précisément à propos de *Paris, Texas,* qui marque un renouveau esthétique, que Wenders entre en conflit avec le Filmverlag der Autoren qui avait été autrefois le berceau du Jeune cinéma allemand, et cela au moment où, d'une part, le développement de ce Jeune cinéma allemand semblait parvenu à son terme (vingt-deux ans après le manifeste d'Oberhausen tout de même) et où d'autre part, le Filmverlag avait cessé de jouer le rôle de représentant des intérêts du film d'auteur en Allemagne, après des années d'une politique malheureuse dont l'actionnaire Wenders a partagé, formellement au moins, la responsabilité. Une preuve frappante et accablante de cette triste évolution est donnée par le traitement indifférent et autodestructeur que le Filmverlag a réservé, au début, à *Paris, Texas.* Sans être le moins du monde sensible aux qualités particulières de ce film extraordinaire, on s'est contenté de l'utiliser comme un gage destiné à atténuer les pertes provoquées par le retrait de l'actionnaire majoritaire Rudolf Augstein qui ne voulait pas jouer plus longtemps les mécènes pour cette société de production voguant à la dérive.

Les actionnaires tentent une dernière fois, malgré des démarches juridiques de toute sorte, de parvenir à un accord à l'amiable, qui prévoit de confier l'exploitation du film *Paris, Texas* à la Tobis-Filmkunst et de dédommager généreusement le Filmverlag. Cela a échoué au dernier moment pour des raisons inexplicables. Le 14 décembre 1984, a lieu à Hambourg une manifestation fantomatique et légèrement tragi-comique. Le Filmverlag présente le film à la presse, avec une copie non-autorisée, beaucoup trop sombre et mutilée par-dessus le marché. Wenders tente d'empêcher la présentation à la presse de son propre film et lance des invitations à une contre-conférence de presse où il appelle une dernière fois Rudolf Augstein à donner son approbation à l'accord amiable qu'il ne reste plus qu'à signer. Mais Augstein n'est là pour personne. L'après-midi du même jour Uwe Brandner, Hans W. Geissendorfer et Wim Wenders déclarent qu'ils sont prêts à céder les parts qu'ils détiennent dans le Filmverlag. Il n'y a pratiquement plus d'auteurs au Filmverlag der Autoren. Une guerre ruineuse, où chacun a voulu s'affirmer et qui, à dire vrai, en dit long sur la situation du cinéma allemand vingt-deux ans après Oberhausen, a provisoirement pris fin. Le 11

Faye Dunaway remet à Wenders la Palme d'or pour *Paris, Texas*.

janvier 1985, « à vil prix », comme le dit Wenders dans une émission de télévision, *Paris, Texas,* arrive enfin dans les salles en Allemagne, dans le pays où le cinéma, après le néo-réalisme italien et la nouvelle vague française, a connu en Europe le développement le plus formidable depuis la Deuxième Guerre mondiale, mais qui, malheureusement n'a jamais su accueillir avec fierté et dignité les productions actuelles de ses propres artistes.

Les développements de l'histoire de l'art ne sont jamais les développements autonomes de destins individuels. Pour cette raison, et bien qu'il ait choisi de n'avoir pas de patrie, Wenders est toujours − quelquefois, à dire vrai, pour le pire − lié à sa patrie. Bien qu'il passe depuis longtemps pour l'un des cinéastes les plus importants de l'époque actuelle, il ne peut toujours pas, pour les raisons les plus différentes, réaliser sans problèmes ce qu'il veut. En tant qu'auteur indépendant, obstinément attaché à ce statut, il ne peut en outre que survivre dans les recoins de l'industrie cinématographique internationale et il lui faut toujours courir le risque, à chaque nouveau projet, de perdre cette indépendance existentielle. Il lui faut donc garder les yeux ouverts, s'il veut rester ce qu'il est : un artiste sérieux qui paie ses expériences avec de la souffrance pour pouvoir créer les œuvres qui triompheront peut-être de la souffrance. Celui qui veut seulement vendre finit par se vendre lui-même, parce qu'il y perd l'ouïe et la vue. Et celui-ci, du propre aveu de Wenders, ne serait plus un homme sérieux.

Le fait est que l'insoluble contradiction de la créativité et du commerce s'est depuis longtemps déplacée vers le centre le plus profond de la production artistique. C'est au fond par ce problème que commence l'*Ami américain.* « Tu n'es pas un homme sérieux » dit le peintre Derwatt à Ripley qui vend les toiles de Derwatt d'une façon quelque peu douteuse. « Est-ce que ça, c'est suffisamment sérieux ? » riposte Ripley en lui mettant sous le nez une liasse de billets de banque. « Il y a deux mille dollars pour toi. Moi, j'ai l'œil pour ces choses-là. » Derwatt voudrait bien lui-même peindre et vendre plus. Mais un artiste a des yeux, non pour gagner de l'argent, mais pour voir le monde d'un regard juste et neuf. C'est pourquoi Derwatt n'a plus que le sarcasme aux lèvres quand il s'adresse à Ripley, qui spécule avec les tableaux comme avec des actions : « Fais bien attention. Des yeux, ça ne s'achète pas. »

## Chapitre 2

## Patrie naufragée

« Quelque chose qui brille dans l'enfance de chacun et où personne ne fut encore jamais : une patrie ». La célèbre phrase d'Ernst Bloch, la dernière du *Principe espérance,* désigne encore une fois, avec la plus grande clarté, le but de toute utopie ; mais ce n'est qu'un but, un point de fuite concernant plutôt ce que les hommes considèrent comme leur chez-soi réel. La patrie, au sens fort, n'existe pas, elle est impossible, parce que toute réalité viendrait déjà démentir le caractère effectif du concept. Et pourtant, à chaque fois, le pressentiment que nous avons d'elle vient d'un état très réel, même s'il est situé loin en arrière : de l'enfance.

Cesare Pavese a décrit les lieux de l'enfance comme des lieux saints, parce qu'ils possèdent pour chaque homme l'aura de l'unicité de l'expérience individuelle. « Telle était l'origine des lieux sacrés. Et ainsi reviennent à la mémoire de chaque homme les lieux de son enfance, car s'associent à eux des événements qui en font des lieux uniques et les distinguent du reste du monde au moyen de ce sceau mythique » [1]. Cet aspect mythique ne se révèle pourtant qu'à l'adulte qui, en ce lieu, s'aperçoit tout à coup qu'il a conquis ici un fragment du monde par la seule force de sa propre imagination, sans être soumis à l'influence d'expériences venues du dehors. Si l'on tire toutes les conclusions de la découverte de Pavese, l'enfance est alors un paradoxe monstrueux, mais prometteur : un passé sans passé, une percée dans l'avenir sans le poids d'une culpabilité.

---

1. Cesare Pavese, « Uber Mythos, Symbol und anderes ». In *Schriften zur Literatur,* Düsseldorf, 1977, p. 329.

Cette percée était bien sûr interdite aux enfants allemands après la Deuxième Guerre mondiale – et avec elle l'espoir, rigoureusement parlant. Ils sont – et ils le comprendront dès l'adolescence – infectés par la barbarie de leurs pères. L'histoire pèse sur eux et souille après coup leurs souvenirs d'enfance. Leur origine leur est ainsi doublement aliénée : géographiquement et culturellement. Pour cette raison leur identité est pour eux un problème. A d'autres époques, en d'autres pays, il va de soi de grandir dans une culture déterminée et dans un certain espace vital ; le sentiment de cette évidence leur est resté interdit.

Pourtant cette vie, privée de ses racines historiques, s'accomplit avec infiniment moins de pathétique que notre formulation pourrait le donner à penser. Cette génération née autour de la fin de la guerre n'avait pas même fait l'expérience directe de l'horreur. Ce que des gens comme Paul Celan, Günter Eich, Wolfang Hildesheimer et Thomas Bernhard ont essayé d'exprimer dans le domaine de la littérature, cette génération ne le connaissait que de seconde main – lorsque devenue adulte, elle régla ses comptes avec les pères. Mais, alors, il y avait longtemps que l'une des parties de l'Allemagne était restaurée.

La patrie, ce n'est pas ça non plus, c'est plutôt le contraire. C'est presque une manière – involontaire – de jeter le masque que de tenter d'expliquer au moyen de tant de miracles la restauration du pays du miracle économique. Une telle tentative renvoie plutôt, aujourd'hui, au mythe que l'école de Francfort définissait comme un ensemble de liens de culpabilité [1] et que les nazis voulaient mensongèrement faire passer pour la patrie. En Allemagne, ainsi, le rapport entre la patrie et le mythe est d'une nature bien différente de celui que se représentait Pavese : ces contradictions qu'il n'est pas possible de séparer et donc de résoudre.

Aucun cinéaste – et, au fond aucun artiste allemand de sa génération, en général – n'a examiné avec autant de rigueur et d'acuité que Wim Wenders ce triste héritage des enfants de la guerre. On dirait presque que la conscience de ce poids historique est le centre névralgique de ses films, le point médian de tous les manques dont la conscience, selon Hegel, est le moteur de tout art. Le paradoxe ici, c'est bien sûr que cela fut à peine remarqué en

---

1. Schuldzusammen hang. Le texte d'Adorno et Horkheimer, « Ulysse, ou mythe et Raison », a pour une part, fourni le cadre conceptuel de ce chapitre. *La Dialectique de la Raison*, dont ce texte est l'un des chapitres, est sans doute le texte de l'Ecole de Francfort qui a eu le plus grand retentissement sur la génération de l'après-guerre en Allemagne (N.D.T.).

Allemagne. On a bien sûr noté, ce qui allait de soi, que dans ces films – et particulièrement dans ceux dont il avait écrit le scénario – quelqu'un ne cesse de se confronter au pays dans lequel il a grandi, de se frotter à lui, parce que ses envies et ses désirs ne peuvent y trouver leur accomplissement. Mais ce problème est à peine traité comme un thème chez Wenders, et les personnages de ses films ne l'abordent jamais. Dès lors, on ne fait que percevoir intuitivement une harmonie assez vague, une affinité qui le lie nébuleusement à l'« exactitude » des atmosphères ou à la mentalité des personnages, voisine de la sienne, sans prendre conscience de la performance artistique et, particulièrement, de l'énorme performance cinématographique que cela, justement, représente.

Les étrangers le comprennent mieux que la plupart des Allemands à cause de la perplexité que les personnages de Wenders font naître chez le spectateur étranger. C'est qu'on ne trouve quasiment pas trace, chez eux, d'un engagement personnel qui pourrait conduire aux conflits qu'on voit habituellement au cinéma ; ils ne cherchent pas non plus à atteindre un but qui donnerait à l'action une conclusion en forme de bilan, positif ou négatif ; il n'y a pas non plus de système de valeurs définies dans le cadre duquel ils auraient à faire leurs preuves. Il y a, au centre du monde des personnages de Wenders, un énorme vide, un creux qui résulte de leur passivité débonnaire et que ces personnages essaient de combler au moyen d'activités de façade. Toute philosophie est un mal du pays, disait le romantique allemand Novalis ; toute vie est une tentative de devenir maître de son désir sans recours à la patrie, pourrait dire Wenders.

« It's not a home, it's a house », c'est ainsi, paraphrasant Bob Dylan, que Wenders a défini, dans l'interview très riche de Jan Dawson [1], sa situation au milieu des années soixante-dix. On pourrait, encore une fois, détourner cette phrase : l'Allemagne – pas une patrie, seulement un gîte ! Il y aura plus tard, dans l'*Etat des choses,* plus de pessimisme encore. Il faut examiner les films, les uns après les autres, systématiquement, pour pouvoir saisir tout ce qui en résulte. Car Wenders – et ceci le distingue de ses collègues – n'enseigne pas l'histoire, ne donne pas de cours de civilisation allemande. Ses films ne font que décrire une situation, sans nostalgie, mais ils ont une exigence : ils veulent faire rentrer dans cette description une connaissance de l'histoire ou vérifier

---

1. Jan Dawson : Wim Wenders, 3e édition, New York Zoetrope, 1979, p. 17.

celle-ci au moyen de cette description ; c'est alors seulement que ses films dévoilent la grande richesse qu'ils dissimulaient presque jalousement à leur surface.

L'approche de ce concept de patrie doit être prudente et systématique, en raison justement de sa complexité. Précisément parce qu'il représente ce « creux » que les personnages de Wenders portent avec eux au plus profond d'eux-mêmes, tous les aspects qui pourraient le définir sont également éloignés du centre proprement dit. Mais, pour cette raison, même si l'analyse des films permettait une décomposition complète de ses constituants, ce concept resterait lui-même quelque chose de toujours insaisissable : un mot qui désignerait plutôt un désir – précisément le mal du pays – qu'un état de fait.

Car, paradoxalement, ces films sont des descriptions d'un état de fait pour la seule raison que ce qui en forme le cœur secret n'est pas encore devenu un état de fait. Si c'était le cas, les films pourraient aborder le problème de façon très directe et sans être codés ; ils n'auraient pas besoin de peiner à la périphérie. Mais ils perdraient aussi alors en intensité, et plus encore en sincérité. Pour m'exprimer plus radicalement : si ce qu'ils s'efforcent d'atteindre était possible, ils seraient superflus.

Wenders aborde ce thème avec beaucoup de timidité, d'abord plutôt intuitivement, comme tout artiste qui n'est pas encore sûr de ce qui le fait agir, de son thème central. Il n'en va vraisemblablement pour lui, au début, pas autrement que pour Wilhelm, dans *Faux Mouvement,* qui a besoin, non d'écrire, mais

*l'Ami américain.*

de vouloir écrire. Il tourne autour de thèmes dont il ne sait pas encore vraiment quelle signification ils ont pour lui. Il y a deux sortes d'artistes : les uns disent tout ce qu'ils ont à dire pratiquement dès leur première œuvre et ne font plus ensuite que des variations, les autres s'approchent lentement, mais régulièrement, de ce qui est le thème de leur vie – Wenders appartient sans aucun doute à la deuxième catégorie.

Pourtant, le titre de son premier film, *Schauplätze* (Lieux de spectacle), qui est malheureusement entièrement perdu, est presque programmatique [1]. Il renvoie implicitement à l'observation des lieux, et au fait que Wenders y déplace le regard personnel qu'il portait sur le cinéma vers son propre environnement. *Silver City* est la variante vérifiable de ce principe : des vues prises à partir des différents appartements munichois où Wenders a, en peu de temps, successivement vécu.

Images des rues de Munich : totalement désertes dans un petit matin brumeux, bourrées d'automobiles le soir à l'heure de pointe. Lorsque ce film fut tourné, Munich s'équipait pour les jeux olympiques de 1972. Ce qui devait donner l'image d'une ville joyeuse, voulant tenir son rôle d'hôte accueillant avec bonne humeur le monde entier, et faire oublier les Jeux de 1936 à Berlin, prend d'emblée chez Wenders l'aspect d'une destruction totale : rues éventrées, chaos des chantiers de construction, grillages de protection vus comme des barricades. Wenders a inséré entre ces images statiques des séquences documentaires où l'on voit des

La mort de la caméra.

---

1. Schauplatz désigne un lieu où se produit un événement déterminé, et peut se traduire en français par théâtre (théâtre des opérations, d'un crime etc.) ou par scène (quitter la scène). Au théâtre, il désigne aussi le lieu de l'action. (N.D.T.)

Le gang dans le bar *(Alabama)*.

manifestations de masse, renvoyant par là à l'élément dynamique de ces « lieux de spectacle », enregistrés par un regard fixe mais qui révèlent, si on y regarde de plus près, leur passé. Un « lieu de spectacle » lit-on, plus de dix ans après chez l'ami de Wenders, Peter Handke, est plus qu'un lieu.

Le sous-titre d'*Alabama : 2000 Light Years* renvoie d'emblée au thème du déracinement : « 2000 Light Years from home », c'est le titre d'une chanson des Rolling Stones tirée de leur disque « Her Satanic Majesties Request. » Ce film de 25 mn, tourné en 1969, pour la *Hochschule* est le premier travail typique de Wenders. Le film hérite des structures d'un genre : celles-ci ne forment que le mince canevas nécessaire à l'action, qui n'est ensuite rempli que de motifs visuels autonomes. Dans l'arrière-salle sordide d'un café, avec en fond sonore la musique d'un juke-box et le crépitement d'une machine à sous, traînent les membres d'un gang, manifestement impliqué dans une guerre entre bandes rivales. On remet un pistolet au nouveau-venu avec de brèves paroles : « Tu sais ce que tu as à faire ». En remplissant son contrat — et le film ne nous en montre pas plus — il reçoit une balle ; lorsqu'il revient dans le café, il trouve morts tous ceux qui lui avaient donné le contrat. Sa fuite est filmée avec une caméra subjective ; elle est en même temps le premier de ces longs travellings qui deviendront par la suite en quelque sorte la marque des films de Wenders. A cela s'ajoutent plusieurs fondus au noir, comme si le conducteur perdait connaissance. Cette séquence a une double signification. Elle suggère, d'une part, la mort du protagoniste ; d'autre part — et Wenders donne cette indication dans l'interview de Jan Dawson — elle signifie la mort de la caméra : « La caméra meurt » [1].

Le sujet du film serait la mort. Un remarquable paradoxe : dès le début de son œuvre Wenders s'intéresse au thème qui le préoccupera encore souvent, mais de la façon la plus explicite, naturellement, dans *Au fil du temps* et l'*Etat des choses : la mort du cinéma*. En même temps, il rassemble pour la première fois tous les thèmes qui recevront ensuite dans les longs-métrages une puissance constituante : l'absence de patrie, dans des bars anonymes et sur des routes qui ne mènent nulle part ; l'absence de relations entre des êtres qui entrent par pur hasard en une interaction qui, dans tous les cas, est dans une large mesure impersonnelle ; une manière parfaitement absurde de tuer le temps que le déroulement pessimiste de l'histoire ne fait en rien échapper à l'insignifiance ; la fuite sur les routes enfin, où — mais de manière, ici, encore obscure et incertaine — quelque chose comme un « destin » peut s'accomplir : un thème dont Wenders fera plus tard jaillir toute la richesse et la diversité de significations.

Il n'y a certes absolument rien d'étonnant à trouver un tel paradoxe au début d'une carrière, c'est plutôt le cas général d'un jeune artiste · qui veut créer quelque chose de réellement important. Un élément d'hybris joue ici, comme dans la célèbre phrase de Joyce : « To create a novel to end all novels ». Mais au désir de rendre superflu tout ce qui existait jusqu'alors en fait de films, en prétendant les résumer tous et les surpasser, se mêle un soupçon de cette résignation qui pousse un Hanno Buddenbrook, en un geste célèbre, à tirer un trait sous son nom dans le livret de famille : « Je pensais que plus rien ne viendrait après ! » Trois tonalités continuent de se faire entendre : un appel à la mort du vieux cinéma afin qu'un nouveau puisse naître. La perplexité, ensuite : quels moyens esthétiques permettront de faire naître ce nouveau cinéma ? Le pessimisme enfin, éprouvé face à un monde ressenti comme insuffisant et que, par impatience juvénile et faute d'expérience personnelle, il ne semble tragiquement pas possible d'améliorer.

Pour une telle idée tragique du monde, l'avenir n'existe pas. Le court-métrage *Drei Amerikanische LP'S* (Trois Trente-Trois tours américains) essaie d'établir que l'avenir que la génération précédente croyait encore pouvoir réaliser, malgré la tristesse et l'épouvante qu'elle éprouvait devant l'horreur passée, était déjà

---

1. *Ibid.*, p. 18.

gâché et bouché. Ce film de dix minutes, réalisé pour la télévision, et qui ne fut, à ma connaissance, jamais diffusé, confronte de nouveau la culture américaine et la réalité de la République fédérale. Au paysage infiniment vaste de l'ouest américain qui se reflète dans la musique de Creedence Clearwater Revival ou de Van Morrisson et les dialogues en voix off entre Wenders et Handke, sont opposées des images de la banlieue désolée de Munich − images qui, bien qu'employées dans une perspective documentaire, dégagent un sentiment d'oppression déjà presque irréel. Toute vie s'est déjà retirée de ces villes ; les bâtiments à usage commercial ont déjà détruit la possibilité d'un habitat digne de l'homme. Les accords de la musique rock s'élèvent (« comme un vol sans turbulence au-dessus des Alpes » dit Wenders) face à l'américanisme mal assimilé d'un pays vaincu pour faire avec lui contraste comme une utopie. « On devrait pouvoir faire des films entièrement constitués de plans généraux ; il y a déjà ça dans la musique américaine ». Mais les plans généraux que Wenders a essayé ici de saisir ne montrent que mutilation, vide et ennui − images de l'état intérieur d'une société.

Aussi riches d'enseignement que puissent être ces courts-métrages − ils restent fondamentalement des études, des petits exercices de doigté, de tâtonnants essais pour donner à des préférences et à des jugements d'ordre privé la consistance d'un thème et vérifier la valeur de ce thème pour le cinéma. Wenders s'avance vers son œuvre avec précaution, pas à pas. D'une autre manière qu'un Fassbinder, qui allait de l'avant à bride abattue et qui se réservait, grâce à une œuvre déjà considérable, un droit à l'erreur, Wenders calcule les risques aussi précisément que possible. La conception de Wenders est que le cinéma est une langue spécifique, dont il lui faut, en même temps, découvrir et maîtriser les règles.

Fassbinder, pour s'arrêter à ce pôle opposé, à ses débuts, veut toujours plus qu'il ne peut ; mais étant donné que ce qui lui importe, c'est avant tout la force de conviction émotionnelle de ses histoires, l'articulation n'a pas pour lui la même importance que pour Wenders. Celui-ci à l'inverse a constamment cherché − après avoir pris son parti, il est vrai, de l'étroitesse des moyens financiers et techniques dont disposaient alors les débutants − à maintenir l'équilibre entre le thème et son expression − *Summer in the city*, le travail de fin d'étude réalisé pour la *Münchner Hochschule für Fernsehen und Film* − ce film apparaît alors comme une espèce de bilan de la situation dans laquelle il se trouvait alors ; mais ce bilan donne significativement déjà la même importance au personnage et à l'environnement dans lequel il évolue.

On retrouve dans ce film, déjà indissolublement mêlés, les trois éléments constitutifs les plus importants des films de Wenders : une situation de départ conforme aux lois d'un genre (la fiction), un regard précis porté sur le lieu concret où se déroule l'action (la documentation) et enfin la relation hypertrophiée que les gens entretiennent avec leur propre personnage qui ne trouve pas seulement ici son expression dans les conversations avec les amis chez qui Hans cherche un abri lorsqu'il fuit ceux qui furent ses complices, mais dans la situation de départ elle-même.

Il n'est pas besoin de faire preuve de beaucoup d'imagination ni de forcer l'interprétation pour voir dans l'histoire de cet homme relâché de prison et à qui le monde de la liberté, où il ne connaît que la chaleur limitée d'hébergements de fortune chez des amis plus ou moins distants, semble, par comparaison, hostile, une projection de l'avenir qui s'ouvrait alors devant Wenders. Avec ce film, justement, il était sur le point d'achever son temps d'apprentissage et il se retrouvait à l'hypothétique début d'une carrière d'artiste incertaine.

La patrie est, dès le début chez Wenders, un concept dialectique, qui désigne dans la même mesure un lieu que l'on désire et qui effraie. Car la réalité d'un lieu qui pourrait être une patrie exclut ce sentiment de sécurité qui est associé à l'idée de patrie. Ce qui devrait fournir protection contre les agressions de l'extérieur est en même temps un mur qui tient à l'écart les séductions et les promesses de ce qui est étranger. La patrie est aussi toujours chez Wenders une oppression qui entrave l'imagination. Dans cette mesure elle est elle-même une prison qui ne laisse pas entrer l'air frais que respire celui qui n'a pas d'attaches. Il faut d'abord, à la lettre, briser la vitre, pour prouver qu'on a soi-même la possibilité de sortir réellement.

Le premier acte de Wilhelm dans *Faux Mouvement,* c'est d'envoyer son poing à travers la vitre. Le premier geste de Bruno, qui n'a fait qu'un rapide crochet par la maison en ruines de son enfance sur l'île du Rhin, est de lancer une pierre à travers la fenêtre. Comme il s'est déjà détaché, c'est plutôt un geste symbolique qui n'entraîne pas non plus, en conséquence, comme pour Wilhelm, une blessure réelle. Mais parce que ce n'était qu'un acte symbolique, venu réellement après coup, il laisse derrière lui un peu d'une tristesse inapaisée. Bruno, qui est pourtant, à

*Faux Mouvement* (en haut) — *Au fil du temps* (en bas à g.) — *l'Etat des choses* (en bas à dr.).

44

l'ordinaire, assez équilibré et flegmatique, hurle la nuit comme un enfant ; et lorsqu'il revient ensuite sur la rive, où, à ce moment précis, de manière significative, passe aussi un train, et qu'il se laisse tomber sur le siège du side-car, il donne l'impression d'être aussi dénué de forces qu'un mort. D'un autre côté ce n'est que lorsque la branche morte, au ralenti, traverse la fenêtre avec fracas − dans une scène symbolique elle aussi au plus haut point de l'*Etat des choses* − que Fritz est libéré de la léthargie de l'attente. L'air frais du dehors, qui éparpille ses photos, lui rend la force d'agir.

Tous les personnages des premiers films ont, sans exception, ce que Nathaniel Hawthorne, dont Wenders a adapté le roman *la Lettre écarlate,* appelait « cet attachement étrange, indolent et sans joie à ma ville natale ». Et ils ont tous, pour citer encore une fois Hawthorne, « une sorte de sentiment au passé de leur patrie », leur propre passé bien entendu, leur jeunesse, dont aucun d'eux ne s'est réellement libéré. Dans la maison de son enfance, Bruno va chercher les bandes dessinées dans leur cachette sous l'escalier, comme Robert Mitchum dans *les Indomptables* de Nicholas Ray − c'est d'ailleurs une citation, comme Wenders le reconnaît dans *Lightning over Water.* Et Robert parle avec mélancolie de ce mark qu'il dépensait, enfant, au cinéma de la ville voisine − et, plus généralement de la même façon, toute l'idée de base d'*Au fil du temps* − la réparation de cinémas de province qui se sont détériorés − est une évidente réminiscence, par Wenders, de sa propre jeunesse, comme les vieux 45 tours que Bruno fait sans cesse repasser, dans son camion, sur son vieux tourne-disque automatique. Lorsque, après la scène, un peu laborieusement libérée de tout pathos, devant le Christ crucifié sans croix, ils fredonnent tous deux « Just like Eddy » − c'est comme la preuve qu'ils ont eu une enfance identique.

Une force singulière pousse tous les personnages de Wenders vers le lieu de leur enfance, mais tous sont saisis par le même sentiment d'angoisse et de tristesse infinies, lorsqu'ils y sont réellement revenus : car ce qui aurait dû changer est demeuré aussi abîmé et mutilé qu'avant ; et ce qu'ils auraient voulu voir conservé s'est dégradé de la même façon que les cinémas ou a été brutalement refoulé et détruit par la logique utilitaire de la reconstruction. Toutes les retrouvailles avec les lieux de la jeunesse ne montrent que leurs aspects négatifs : ce qu'ils avaient espéré a disparu, ce qui leur avait fait peur est toujours là.

Hans, déjà, dans *Summer in the city,* cherche à combler le vide

45

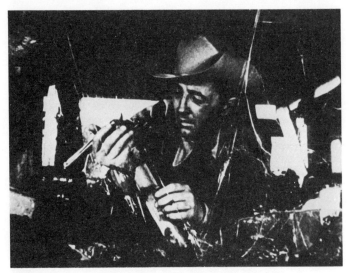

Nicholas Ray : *les Indomptables,* cité dans *Lightning over water.*

que la prison a creusé dans son expérience et veut pour cela renouer avec ce moment où la prison, par force, a interrompu son expérience du monde. Il se met à la recherche des anciens cinémas, mais ils ont entre-temps fermé leurs portes ; il demande à des amis où passent des vieux films en noir et blanc, et il doit se contenter d'un récit qu'on lui fait de *Three Godfathers (Le fils du désert)* de Ford. Chez les jeunes filles qui lui ont offert un asile il écoute les vieux disques des Troggs et des Kinks et feuillette de vieux romans. On dirait presque qu'il lui faut d'abord conjurer à tout prix les vieux rêves de jeunesse, avant de pouvoir continuer de vivre dans la vieille patrie soudain devenue étrangère.

Même Bloch, le gardien de but qui, après avoir été mis sur la touche, erre à l'aventure sur les routes d'une province sans issue, ne reprend vraiment vie que lorsqu'il peut parler du match que son club de football a joué en visiteur aux Etats-Unis. Ça n'est qu'une impression, mais manifestement Bloch, qui n'a pas sinon, avec ses connaissances et amis, de lien réellement solide, comme toujours chez Wenders a eu, cette seule et unique fois, le sentiment d'être protégé au sein d'une communauté – le sentiment d'une patrie. On peut seulement comprendre ainsi que

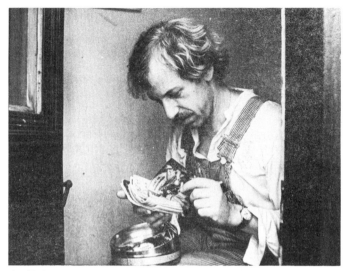

*Au fil du temps.*

son exclusion de l'équipe par l'arbitre le touche aussi profondément que s'il avait été chassé du paradis terrestre.

Le récit de Handke qui porte le même titre et qui a servi de sujet à Wenders commence au contraire sur un ton anodin qui rappelle Kafka : « Le monteur Joseph Bloch, qui avait été un célèbre gardien de but, fut informé, quand il se présenta le matin à son travail, qu'il était congédié. Du moins Bloch interpréta-t-il ainsi le fait que seul le contremaître leva les yeux de son casse-croûte lorsqu'il ouvrit la porte de l'abri où les ouvriers faisaient la pause, et Bloch quitta le chantier [1]. » Chez Handke, ainsi, Bloch suppose qu'il est renvoyé plutôt qu'on ne lui donne congé expressément ; chez Wenders, même si l'on n'en tire encore aucune conséquence importante, Bloch est du moins sans ambiguïté exclu du terrain et toutes ses protestations ne servent à rien.

Comme si cette seule infraction aux règles avait abrogé toute règle, Bloch devient tout à coup un exclu que plus rien ne lie aux

---

1. Peter Handke, l'*Angoisse du gardien de but au moment du pénalty*, traduit par Anne Gaudu, Gallimard, Paris, 1972.

47

autres hommes. Sans ses connaissances en matière de football et l'expérience américaine qui lui a valu son talent, il ne serait même pas capable de communiquer avec d'autres. Le meurtre de Gloria, la caissière, qui fait de *l'Angoisse du gardien de but au moment du penalty,* la version très allemande, c'est-à-dire posée et méditative, d'*A bout de souffle* de Godard, résulte bien, finalement, de l'étouffante impossibilité de prolonger la discussion. Il n'est guère possible d'interpréter autrement le fait que ce meurtre n'a manifestement pas de cause — à moins que l'on ne voie dans la relation exclusivement visuelle de la cordelière du rideau et du cou de la jeune fille une raison suffisante pour serrer la cordelière autour du cou.

Wenders ne tient pas seulement cette séquence de l'appartement de Gloria pour la plus mauvaise qu'il ait faite en général, il l'a bel et bien détestée. C'est lié bien sûr à son incapacité (qu'il commence à surmonter seulement avec *l'Ami américain*) à imposer une valeur affective aux logements, ces lieux de l'action qui ne sont pas des lieux publics mais où, dans une certaine mesure, se conserve une mémoire privée. L'appartement de Gloria est horriblement réaliste, mais sans aucun élément qui renverrait, d'une façon ou de l'autre, à autre chose que lui. Cet élément tout au plus vient de l'extérieur, du fait de la proximité de l'aéroport, quand atterrit un avion à réaction, et que quelqu'un remarque, avec une nostalgie qu'on ne peut pas ne pas entendre, qu'il vient d'outre-mer.

Mais, même si tout n'est pas réussi dans le *Gardien de but,* on trouve exprimés dans ce film, avec une clarté certes souvent énervante, le vide, l'absence de relation, la stérilité de l'environnement, ces éléments où sont enfermés les personnages de Wenders, à la fois peu loquaces mais mendiant toujours, inconsciemment, un contact. C'est comme si, pour Wenders, il y avait sur le monde une malédiction qui interdise toute sincérité et barre ainsi à l'avance le chemin à toute possibilité de bonheur. Les enfants sont seuls encore capables de cette sincérité, de cette curiosité que rien n'arrête à l'endroit d'autres hommes. Mais ils sont eux aussi bientôt marqués par l'esprit borné des adultes — qui bafoue toute forme de vie en commun et mutile par là le concept de patrie.

Ces êtres sont victimes d'un charme : ce qui leur arrive, ce qu'ils sentent, ce qu'ils sont, tout cela ils ne peuvent le reconnaître. Si *la Lettre écarlate* reprend la problématique de la patrie de la façon la plus nette, c'est peut-être seulement à cause de la distance où la composante historique du film la rejette aussitôt en la situant à l'écart de la situation actuelle. D'autre part il y a, qui domine la petite communauté puritaine, quelque chose d'archaïque et d'impitoyable qui renforce les liens mythiques de la culpabilité qui pèsent sur les personnages de Wenders comme une contrainte collective. Hester Prynne, qui porte le signe d'infamie de la lettre écarlate à cause de son enfant illégitime, ne peut révéler, par fierté et par amour, le nom du père. Celui-ci, le révérend Dimmesdale, doit se taire s'il ne veut pas lui-même être honteusement chassé. Et le médecin Chillingworth, enfin, qui est étranger à la communauté et le plus à même de voir clair dans la situation parce qu'il n'est lié à personne dans ce groupe social, omet lui aussi de reconnaître quelque relation que ce soit entre lui et Hester, qui est sa femme.

Cette petite société est en proie à la cachotterie, laquelle pouvait représenter encore chez Hawthorne une caractéristique du puritanisme, mais représente plutôt chez Wenders la source de tous les maux de l'humanité, le mal qui empêche qu'on en arrive, comme dans la tragédie, à une catharsis où la situation pourrait

C.D. Friedrich : *Lever de lune sur la mer,* (peinture à l'huile, 1822).

*La Lettre écarlate :* « Le monde finit-il donc aux frontières de cette ville ? »

être clarifiée. Tous ont la bouche cousue, dès lors que l'essentiel est en jeu : de ce fait on ne peut parvenir réellement à une solution. Ne reste que la malédiction qui pèse sur un district qui aurait dû être une patrie, mais qui ne pourrait le devenir, à cause du charme dont il est victime.

La sœur folle du vieux gouverneur, qui est la seule à ne pas respecter les règles puritaines de l'endroit, essaie d'entraîner Hester à se révolter contre les humiliations et à s'enfuir avec elle, qui fréquente des sorcières, dans un royaume d'occulte liberté. Mais des satisfactions spirituelles de substitution n'ont aucun sens pour les personnages de Wenders. Le royaume de la liberté, à leurs yeux, est toujours à l'extérieur, on ne peut y avoir accès que par un acte de libération.

Ici se fait jour en toute clarté, un élément d'étrange romantisme (ce n'est d'ailleurs pas le seul) qui vient accentuer le mouvement dialectique à l'intérieur du concept de patrie. Le poète romantique, le *poète maudit** *, qui trouve peut-être son expression la plus

---

(*) En français dans le texte.

adéquate dans *le Voyageur* de Franz Schubert, franchit le pas et se lance à la recherche d'une nouvelle Atlantide, mais le petit bourgeois reste à la maison ; la même circonstance définit essentiellement les personnages de Wenders : osent-ils ou non franchir le pas, se détacher ?

Dimmesdale, le pasteur hypocrite, qui a certes lui-même imprimé sur sa peau par scarification la lettre écarlate, mais qui la porte pendant des années sans que cela se sache, dit à Hester, lorsqu'il n'est plus possible de retarder, à force de dissimulation, le moment de la décision : « Quelle issue me reste-t-il ? Je désire rester et mourir ici ». Et c'est presque en suppliant que Hester répond : « Le monde finit-il aux frontières de cette ville ?... Va... dans les « grandes villes ». − « Je ne peux pas fuir » − « Tu le dois ». Dimmesdale peut encore trouver le courage d'une confession publique devant la communauté, puis il meurt. Mais Hester monte sur le bateau avec sa fille Pearl et elle franchit alors la frontière décisive.

Les « lieux de spectacle » dévoilent peu à peu leur sens thématique. Ils sont eux-mêmes les lieux de l'épreuve, de la décision − une décision qui n'apparaît pas explicitement dans l'action des films et qui semble aussi bien, pour cette raison, ne jamais intervenir. C'est d'ailleurs ce qui donne aux films ce rythme lent, non dramatique. Parce que c'est très rarement au dialogue que Wenders confie le rôle d'exposer les points décisifs − c'est au contraire le plus souvent le rôle du « lieu du spectacle » − ses films, au premier regard − selon le tempérament de celui qui regarde − font l'effet d'être futiles, froids et arbitraires.

La patrie se définit − et cela fait essentiellement partie du concept − par le fait que tout le monde connaît tout le monde. Aussi celui qui ne respecte pas les règles de la convention est-il, comme Hester Prynne, cloué au pilori. Ce n'est sûrement pas par hasard si ce pilori, dans *la Lettre écarlate,* est le centre du Salem historique. Et la décision qu'Hester doit prendre − et tous les personnages de Wenders doivent en prendre une − est celle-ci : veut-elle rester enchaînée à cette honte − que celle-ci soit réelle ou seulement inconsciemment symbolique − ou trouver la force d'aller « dans les grandes villes » ?

Car pour Wenders, la patrie, c'est toujours la province, caractérisée par le mode de vie de la province, ce mode de vie qu'il s'agit de ne pas adopter. De façon plus générale il s'agit de ne pas se laisser abêtir par ce règne du toujours identique. Car ce n'est « pas une vie », comme dit la mère de Wilhelm dans *Faux*

*Mouvement*. Bien sûr, elle-même, elle ne peut plus s'échapper de la ville de province mais elle donne à son fils la force et les moyens de le faire pour elle. « Je voudrais que tu t'en ailles ». Elle veut avoir de nouveau de l'estime pour elle-même en faisant de menues entorses aux conventions. « Je fumerai en traversant la place, et en fin d'après-midi, je boirai mon Martini au Heider Hof en lisant tes lettres. Je dirai, en commandant le Martini : « avec de la glace, s'il vous plaît ». Les femmes, même si elles ne partent pas, enfreignent du moins la convention. Dame Hibbins, la folle que Hester ne voulait pas suivre, met le feu à ses vêtements précisément sur le pilori auquel Hester a définitivement échappé.

Mais les explications qu'apporte le discours sont moins importantes que celles qu'apporte l'image. La place du marché, vide, ennuyeuse, de Heide, ville de province du nord de l'Allemagne, cette place où aucun événement ne vient troubler l'autarcie satisfaite de la ville a, en cela, un air de parenté avec celle de Salem, Nouvelle Angleterre, dans *la Lettre écarlate*. La paix qui pourrait émaner d'un tel endroit est gâchée dès qu'on a conscience du prix payé pour cette tranquillité. Et cette tranquillité fait naître un sentiment de révolte contre les « activités séparées ». Il est donc logique que la seule exhortation que lance à son fils la mère de Wilhlem soit : « Ne perds ni ton sentiment de malaise, ni ton humeur chagrine ».

Parce qu'il est un désir qui ne peut être comblé, le malaise indique ce creux situé au centre d'une vision du monde, à égale distance de tous les aspects de cette vision du monde qui peuvent être décrits ou montrés par le moyen du film. Mais même si l'humeur chagrine, râleuse, des personnages de Wenders a, dès les premiers films, fait clairement voir ce creux, cette conscience d'un singulier abîme, ce n'est véritablement qu'avec *la Lettre écarlate* que les contours de ce creux sont fermement dessinés.

Cette constatation ne semble pas aller sans une certaine ironie. Car *la Lettre écarlate* passait – et passe toujours – pour le plus impersonnel des films de Wenders, pour un film qui n'est pas caractéristique de son œuvre, et, dans une certaine mesure, pour un corps étranger dont la seule excuse est qu'il s'agissait d'une commande grâce à laquelle le jeune metteur en scène voulait soumettre son professionnalisme à l'épreuve du marché. Passons sur le fait qu'une telle appréciation surestime et sous-estime à la fois la détermination de Wenders, parce qu'une commande – et on le verra de nouveau encore avec *Hammett* – ne l'empêche nullement de continuer à travailler sur ses propres thèmes ; mais ce qu'elle méconnaît avant tout, c'est l'extraordinaire capacité d'intégration du système de pensée propre à Wenders.

Si *la Lettre écarlate,* contrairement à l'apparence première, a une si grande importance dans le développement de l'œuvre de Wenders, cela tient bien sûr au caractère hermétiquement clos du lieu de l'action. Mais c'est précisément cette circonstance, qui fait se presser les uns contre les autres les personnages instables dans l'espace le plus étroit, qui définit en premier lieu le mouvement de grande ampleur qui caractérise d'autres personnages et d'autres films de Wenders et dont elle est en apparence le contraire. Hans *(Summer in the city)* et Bloch *(l'Angoisse du gardien de but),* dans leur course, fuient quelque chose, mais c'est de façon plutôt inconsciente ; l'histoire leur prête, par nécessité, des raisons d'agir extérieures, mais les personnages n'ont pas vraiment, pas plus que leur auteur, une conscience claire de la nécessité qui les pousse à agir.

Peut-être Wenders avait-il simplement besoin d'une histoire qui n'ait, superficiellement, rien à voir avec « ses » thèmes, afin que le centre de son mouvement propre puisse se révéler à lui sans obstacle. A bien des égards, *la Lettre écarlate* sort du cadre de ce que l'on tient pour caractéristique chez Wenders : premièrement, c'est un film historique, deuxièmement le personnage principal (c'est la seule fois) est une femme, et troisièmement toute l'histoire se déroule en un seul lieu. Tout se passe comme si ce film alimentaire, au bénéfice duquel Wenders a remisé tout ce qui pouvait servir à la recherche de sa propre identité, avait fourni l'occasion où le sens le plus profond de son travail pouvait se révéler entièrement.

Et il fallait bien que ce fût un sujet historique, parce qu'il y a, dans le concept wendersien de patrie − peu importe qu'il en ait été réellement aussi conscient qu'on le suppose ici − une composante éminemment historique. Car il n'y a de patrie, laquelle ne devient possible qu'avec la sédentarité − et donc la propriété qui marque le début de toute aliénation − qu'après la fin de l'époque du nomadisme. Ainsi, le mal du pays, qui fait vagabonder les hommes à travers le monde, n'est pas seulement attaché à la patrie, à la possession bien établie, il est au contraire, en même temps, un désir de revenir à un état originel perdu − celui précisément des nomades *avant* l'aliénation − cet état originel qui le premier pousse les hommes à quitter leur patrie.

Il est significatif qu'Hester Prynne, dans *la Lettre écarlate,* n'a même pas eu le temps d'arriver réellement à Salem dont elle est à nouveau exclue dès le début de l'histoire. Hester faisait le voyage du Nouveau Monde en ouvrant la voie à son mari ; on suppose que Chillingworth s'est noyé ensuite en faisant à son tour la traversée. Alors qu'elle n'est pas même encore véritablement établie, elle met au monde cet enfant illégitime dont le père est Dimmesdale, lequel, pour protéger sa réputation, renie Pearl, accuse Hester, et, ce faisant, bannit pour elle toute possibilité de s'installer dans la nouvelle patrie. Chillingworth lui aussi, reste, à Salem, l'étranger mystérieux qui jouit certes de l'estime due au médecin qu'il est, mais ne sera lui non plus jamais réellement chez lui, d'autant plus que son serviteur est un Indien et qu'il a, auparavant, longtemps vécu chez les Indiens — les indigènes que l'on craint et, pour cette raison, que l'on hait. Aucun des deux n'est donc établi dans cette communauté au puritanisme strict ; ce qui les distingue, c'est l'estime ou le mépris qu'on leur témoigne. Et cela a des répercussions en retour sur l'estime qu'ils ont pour eux-mêmes : Hester oppose au mépris sa fierté et sa volonté d'indépendance ; au contraire, Chillingworth doit renier quelque chose : son passé, le lien qui l'unit à Hester.

Que les hommes, en cet endroit où ils pourraient et voudraient être chez eux, doivent ne pas être tout à fait eux-mêmes s'ils ne veulent pas être méprisés, qu'ils doivent, comme Chillingworth ou Dimmesdale, dissimuler ou renier quelque chose s'ils ne veulent pas perdre l'estime des autres, renvoie au thème de l'aliénation dans la patrie, qui, chez Wenders, est développé beaucoup moins à partir d'un point de vue économique, marxiste, que de celui d'une rigoureuse morale de l'estime de soi. L'estime de soi, qui procède du désir véhément de se réaliser — serait-ce contre toutes les contraintes bourgeoises — éloigne les personnages de Wenders de l'endroit où ils sont nés et où la pleine réalisation d'eux-mêmes leur est interdite.

Réalisation de soi — c'était l'un des concepts que l'A.P.O., l'opposition extra-parlementaire (*Ausser parlamentarische Opposition*) avait mis au centre de sa critique sociale utopique à l'époque des révoltes estudiantines et de mai 68 à Paris. A cette époque, qui vit les débuts de Wenders au cinéma, furent forgées les conceptions politiques de presque toute la génération de l'après-guerre. Ces conceptions, précisément, entrent, bien sûr sur un ton très personnel et mélancolique, mais de façon nette et directe, dans les films de Wenders, même si on n'y parle presque pas de politique.

L'attitude de refus de cette génération, dont l'élément politique

*Summer in the city*        *Letter from New York*

le plus fécond et le plus progressiste était sans contexte le rejet radical d'autorités traditionnelles devenues vides, de telle sorte qu'à juste titre, ce qu'on a nommé la révolte estudiantine reçut aussi le nom de « mouvement anti-autoritaire », cette attitude de refus du cours ordinaire du monde est la tonalité fondamentale du travail de Wenders dans sa première période, dont *Au fil du temps* forme magnifiquement la somme et la conclusion.

Tout ceci se donne à lire dans la trajectoire continue, extrêmement logique, d'une évolution qui se poursuit sans écart notable jusqu'au brusque départ pour l'Amérique. Même de ce point de vue – thématique – Wenders poursuit son itinéraire avec une constance effrayante, qui ne se dément – extérieurement du moins – que lorsqu'il part pour l'Amérique. Mais même alors, on peut encore supposer que les difficultés que Wenders a rencontrées avec Coppola, qui ont retardé hors de toute proportion le projet *Hammett,* trouvaient leur origine dans le refus de Wenders de se soumettre à l'autorité du « supervisor » et d'agir contre ses intérêts propres.

Ce que montrent au premier chef les difficultés réelles de Wenders en Amérique, c'est que la réalisation de soi n'a pas seulement à voir avec le principe de plaisir, mais aussi, et tout autant, avec le principe de réalité. Se réaliser, c'est tenter de mettre en accord les expériences douloureuses que nous faisons dans la réalité qui nous entoure et les possibilités escomptées de notre personnalité, tentative presque utopique mais qu'il faut continuellement reprendre. Il semble, après coup, que tout se passe comme si Wenders avait d'abord dû faire cette tentative – à distance, dans des conditions de laboratoire en quelque sorte, à travers des

55

Vermeer : *La Liseuse*.

personnages donnés à l'avance — historiques ou qui résultent
d'une synthèse — avant de pouvoir dans une certaine mesure oser
faire lui-même cette tentative en courant tous les risques auxquels
il faut qu'un artiste s'expose s'il veut produire une œuvre
réellement originale.

Dans *Summer in the city*, bien que les particularités, les goûts qui lui sont propres fassent de lui, de manière caractéristiqu*e*, un personnage de Wenders, Hans reste un personnage de genre dans une action de genre. Dans *l'Angoisse du gardien de but,* Bloch, malgré ses ruminations, est plutôt un personnage artificiel, un simple prétexte à des mouvements dans le paysage. Et avec Hester Prynne, cette réfractaire pleine de fierté d'un lointain passé, on avait la répétition générale, sur un prototype historique, de quelque chose dont Wenders doit maintenant faire l'épreuve, d'une façon à la fois moins distanciée, beaucoup plus radicale, et beaucoup plus honnête, dans son propre « environnement » (pour ne pas encore employer ici le mot « patrie »).

Ces « exercices de doigté », cette approche tâtonnante de l'ensemble des thèmes personnels, qu'il fallait, c'est vrai de Wenders comme de la plupart des artistes, mettre à jour couche après couche, étaient nécessaires pour qu'on en arrive au premier film qui fût réellement un grand film : *Alice dans les villes,* où se trouvent réellement rassemblés pour la première fois tous les thèmes et motifs qui constituent l'apport original de Wenders à l'intérieur du Jeune cinéma allemand : le malaise — tout à la fois nostalgie et paralysie — éprouvé face à une réalité qui borne toute imagination personnelle, l'incapacité des hommes à se comprendre réellement les uns les autres, et, — déplorable substitut — la communication arbitraire, aux deux sens du terme, et unilatérale des médias ; les rapports mutilés entre l'homme et la femme — et la sensation poignante de déracinement qui en résulte — car ce n'est pas par hasard si l'enfant quasiment abandonnée (voilà, d'ailleurs, encore une métaphore très romantique) est le moteur de l'action dans son ensemble ; et enfin (mais il faudra y revenir de façon plus approfondie) la relation, d'une grande profondeur et d'une grande portée, entre le rêve et l'écriture et le voyage.

Pour ce qui est des thèmes imbriqués de la patrie et de la réalisation de soi, il semble, superficiellement, que le film en fait tout simplement l'économie. Ces thèmes constituent, en réalité, le centre névralgique du film. Un journaliste de Munich, Philip Winter (il est remarquable que ce nom s'associe pour moi à chaque fois à celui de Max de Winter dans *Rebecca* de Hitchcock, bien qu'il y ait vraiment peu de ressemblance entre Rüdiger Vogler et Laurence Olivier) voyage à travers l'Amérique, où il doit faire un reportage pour un magazine. Partagé entre la fascination et le dégoût, il fait un très grand nombre de photos, du paysage, des villes, des hommes, mais n'arrive pas à écrire bien que le délai soit depuis longtemps dépassé. Avec le dernier argent qui lui reste, il veut retourner en Europe, mais, à cause d'une grève des contrôleurs aériens, il ne peut avoir de vol que pour Amsterdam le lendemain. Au guichet, dans l'aéroport, il fait la connaissance de Lisa van Damm et de sa fille (est-ce un hasard si le méchant s'appelle Philip van Damm dans la *Mort aux trousses* de Hitchcock ?). Elles veulent quitter l'Amérique, et cela ressemble presque à une fuite, parce que Lisa ne veut plus rester avec son mari. Tous trois passent la nuit ensemble dans un petit hôtel, après que Philip n'a pas pu se faire héberger par une amie de longue date. Le lendemain Lisa a disparu, et elle ne vient pas non plus au rendez-vous convenu. Philip se retrouve avec un enfant qu'il ne connaît pour ainsi dire pas sur les bras.

Comme la mère n'est pas non plus arrivée par l'avion suivant, il essaie de rendre l'enfant à sa grand-mère, qui devrait habiter Wuppertal. Mais Alice ne trouve pas la maison et tous les deux sillonnent la Ruhr, toujours à la recherche de la maison des grands-parents dont Alice possède au moins encore une photo jaunie. Philip est sous pression : il lui faut travailler à écrire son reportage (« gribouiller », comme dit Alice), se débarrasser enfin de l'enfant, et retourner chez lui, car il commence à être à court d'argent. Lorsque Alice se réfugie de nouveau auprès de lui, bien qu'il l'ait confiée à la police, il ne voit plus qu'une issue : aller chez ses parents et emprunter de l'argent. Ce serait avouer sa défaite, son échec total. Alors qu'ils sont déjà en chemin, ils sont tous les deux reconnus par le policier du commissariat, qui leur donne l'adresse de la grand-mère d'Alice à Munich. Dans le train qui les y emmène, Philip lit la nécrologie de John Ford, « un monde perdu ». Triomphante, la caméra s'élève à partir de la fenêtre du wagon et découvre aux regards toute la vallée du Rhin, à travers laquelle le train, réduit à la taille d'un jouet d'enfant, file vers la fin de cette aventure.

Pour la première fois chez Wenders, la notion de patrie n'est pas attachée à un endroit seulement, elle est dans une certaine mesure étendue au pays entier. L'expérience concrète de l'Amérique − qui exerce elle-même, de son côté, sur tous ceux qui ont grandi dans l'Allemagne de l'après-guerre une attirance contradictoire, parce qu'elle représente le pays absolument étranger et la patrie de tous ceux qui vont au cinéma, qui lisent des comics, qui écoutent de la pop-music − a été dans un premier temps nécessaire pour déplacer le lieu de l'action vers une région allemande typique, la Ruhr, historiquement liée à l'industrialisation, et mettre ainsi le concept de patrie à l'épreuve d'un contexte plus général.

Comme on peut s'y attendre, puisque le film lie une idée de l'Allemagne au concept de patrie, ici encore le sentiment d'aliénation reste dominant. Mais le thème de l'aliénation − cette aliénation qui est à la fois un obstacle, et, dialectiquement, une incitation à la réalisation de soi − est lui aussi, dans Alice, approfondi du point de vue de l'histoire − à tous les niveaux de l'histoire et dans tous les sens de ce mot.

C'est tout d'abord l'histoire tout à fait individuelle de ce couple de personnes disparates, dont l'une (Alice) préférerait que l'autre fût son père, tandis que Philip veut se débarrasser d'elle le plus vite possible, mais est lié à elle, inconsciemment, par de la tendresse. Ce n'est qu'après la longue énumération des noms de villes, dans les toilettes de l'aéroport d'Amsterdam (elle a vécu autrefois dans cette ville, avec sa mère) qu'Alice affirme que sa grand-mère habite Wuppertal. Tout se passe comme si elle avait perdu la mémoire de son origine : elle ne connaît ni le nom de sa grand-mère ni la région où celle-ci habite. Et Philip, qui a grandi non loin de la région où ils mènent leurs laborieuses recherches, ne veut à aucun prix retourner chez ses parents. Il préfère encore la petite escroquerie des chèques en bois ; il préfère laisser tomber Alice en la confiant à la police. Comme s'il lui fallait, après cet acte qui lui fait avoir honte de lui-même, retrouver un sol solide sous ses pieds, il va à un concert en plein air de Chuck Berry. Là, au milieu de gens qui vibrent de la même façon que lui, un sourire apparaît pour la première fois sur son visage, détendu et passablement satisfait. Après ce concert il découvre Alice qui a échappé à la police et qui l'attend devant son hôtel. Le fait qu'elle l'attende encore indique que leur relation prend un cours nouveau. Philip désormais est même prêt à capituler devant ses parents. Et à la fin, Alice donne généreusement son billet de cent dollars à Philip que le manque d'argent rend nerveux.

Tous deux, lancés désemparés dans leur recherche, errent en étrangers dans une région où ils devraient pourtant au sens propre se sentir chez eux − cette errance est d'ailleurs pour Wenders un prétexte dramaturgique à rassembler une documentation complète sur l'histoire architecturale de la Ruhr qui s'est déposée sous la forme de paysages et de pierres − mais ils ne sont pas les seuls ; la patrie qui leur est étrangère est peuplée d'étrangers : dans la maison de la grand-mère habitent des travailleurs immigrés qui parlent à peine la langue et n'ont absolument aucun souvenir des habitants précédents.

Tous ceux à qui Philip montre la photo de la maison ont perdu la mémoire et sont plongés dans la perplexité. On a presque l'impression d'une sorte de *noman's land* où tout souvenir historique est effacé, où toute relation personnelle est rompue. Il est remarquable qu'en ce point précis commence justement l'une de ces relations fugitives, entre homme et femme, où certes personne ne pose de conditions mais où personne non plus ne s'engage. Philip dort avec la jeune femme dont Alice a fait la connaissance à la piscine et Alice et lui quittent la maison avant qu'elle soit même réveillée.

Hans et Bloch cherchaient un asile chez des amies de longue date sans qu'il soit question de relations sexuelles. C'est aussi ce que Philip attendait d'Edda, en Amérique, et elle l'a mis à la porte. La nuit passée avec Lisa est comme un stade intermédiaire : Philip dort à côté d'elle mais ne couche pas avec elle. Avec la jeune fille rencontrée à la piscine, s'ouvre, dans une certaine mesure, un nouveau chapitre dans l'histoire des relations entre hommes et femmes chez Wenders : provisoires pactes de circonstance. A la fin de *Faux Mouvement* Wilhelm et Thérèse se mêlent volontairement à la cohue humaine pour se séparer, une séparation aussi banale, aussi peu dramatique que possible. Dans *Au fil du temps,* dont le synopsis prévoyait à l'origine une histoire plus longue entre Bruno et Pauline, la nuit qu'ils passent ensemble dans la cabine du projectionniste s'achève sur un laconique « Je m'en vais ».

Même la nuit partagée de l'*Etat des choses* ne fait que sceller, bien que de manière involontaire, un adieu définitif.

Les êtres sont chez Wenders beaucoup trop inquiets pour qu'une relation solide soit encore possible. La seule chose à laquelle ils peuvent encore employer leur courage − et, de ce point de vue, *Alice* est comme le début d'une trilogie qui se poursuivra avec *Faux Mouvement* et *Au fil du temps* − est une amitié limitée avec des compagnons de voyage, qui connaît de plus en plus de tiraillements, et doit, à un moment ou un autre, nécessairement prendre fin.

Cette dimension historique où Wenders, avec *Alice dans les villes,* pousse pour la première fois une profonde exploration, fournit le véritable dénominateur commun où réduire le conflit qui oppose constamment chez lui la patrie et l'étranger, le mal du pays et le désir de partir, aliénation et réalisation de soi. Cette dimension historique est la plus importante dans son œuvre parce qu'elle lui permet de donner une ampleur audacieuse, même s'il n'avait vraisemblablement pas conscience de son audace, à l'histoire individuelle tout autant qu'à l'histoire nationale, en les situant sous *un* certain rapport dans l'histoire de l'humanité. Ce rapport n'est rien de moins que le conflit entre nomadisme et sédentarité, qui est ici, et c'est fondamental, porté jusqu'à son terme par des êtres dont le destin est d'être étrangers dans leur propre patrie et sans patrie à l'étranger.

Leur incapacité à nouer un lien solide avec d'autres êtres, amitié ou amour, prouve cependant l'existence d'un sentiment général, indéfini. C'est surtout dans les relations avec les femmes, qui devraient à vrai dire montrer un peu plus d'obstination, que se reflètent l'inquiétude et la totale aliénation des hommes. Le voyage n'est donc pas seulement l'expression de ce besoin élémentaire du média cinéma qu'est le mouvement. Il n'est plus possible de ne pas voir, c'est absolument évident dans *Au fil du temps*, l'importance extrême de ce fait, qui est peut-être même constitutif de son esthétique, pour la compréhension du cinéma de Wenders.

Mais le mouvement signifie aussi toujours chez Wenders quelque chose de mental : il signifie que quelque chose — la situation dans laquelle les hommes vivent et dont ils souffrent — bouge, que ce qui est figé s'anime. Pour autant, ce qui pousse ses personnages à bouger — cette agitation qui les caractérise tous autant qu'ils sont — n'est nullement le désir d'en revenir à un état de civilisation archaïque ; mais on ne peut comprendre l'ampleur du mouvement de la pensée de Wenders que si l'on introduit dans le cours de cette réflexion la première époque du développement de l'humanité.

Les nomades de l'époque archaïque n'avaient pas de patrie. Ils vivaient dans le monde qu'ils connaissaient, chassaient et cueillaient, se nourrissant de ce que la nature leur offrait, et allaient plus loin lorsque le pays et la saison ne produisaient plus rien. C'est avec la propriété que se forme la patrie et que naît à l'opposé l'aliénation vis à vis du monde extérieur. Il est remarquable à plus d'un égard que l'étendard de la révolte contre l'aliénation, contre l'ennui petit bourgeois de la civilisation n'ait été brandi qu'à l'époque bourgeoise, par les artistes.

Avec la Révolution française, dont l'apogée est la prise de la Bastille en 1789, commence l'époque du roman de formation, qui est toujours, en règle générale, un roman de l'artiste et un roman du voyage. Le *Wilhelm Meister* de Goethe, qui constitue la base de *Faux Mouvement,* de Handke, montre encore pourtant la tonalité fondamentalement optimiste du classicisme allemand. Le romantisme qui, à son aurore, développait ses utopies en se nourrissant des espoirs que faisait naître la Révolution française, mais, dans sa phase tardive, a vu son projet d'âge d'or réduit à néant par l'échec de celle-ci, a produit alors la figure du *Voyageur*, à laquelle Schubert dédia sa fantaisie pour piano pleine de désillusion. Le *Voyageur*, qui n'a ni feu ni lieu, et que son voyage d'hiver à travers une situation qui s'est de nouveau figée ne conduit qu'à la mort, porte déjà les marques du *poète maudit* *, avec lequel commence la modernité.

Chez Wenders, dont les affinités avec le romantisme se sont déjà souvent manifestées, le désir de partir revêt des traits manifestement romantiques. De ce point de vue, on ne peut pas tirer grand chose du fait que ses *Voyageurs* utilisent les moyens de transport du XXe siècle. Les personnages de Wenders marquent cependant une incontestable évolution par rapport aux *Voyageurs* même si c'est un élément de romantisme utopique qui les a au départ mis en mouvement. Les voyages deviennent peu à peu chez Wenders leur propre fin. Pour celui qui voyage ils sont la preuve qu'il est encore en vie, qu'il lui reste la force de résister, qu'il ne s'est toujours pas résigné à cette vie figée où l'on est déjà mort par anticipation, de son vivant.

Le voyage, qui était d'abord, à certains égards, dans *Summer in the city l'Angoisse du gardien de but* et finalement aussi dans *la Lettre écarlate,* une fuite, n'est plus maintenant qu'un prétexte pour confirmer son énergie vitale dans le contexte supposé dangereux d'une expérience de l'étranger. Mais le temps où le voyage à l'étranger était encore une aventure, où l'on pouvait éprouver des impressions nouvelles, rencontrer de nouvelles, de meilleures formes de vie — des formes de vie qui justifiaient le risque couru et vous dédommageaient des fatigues supportées — ce temps est passé. Le voyage était une aventure, il est maintenant une source de contrariétés : une grève du contrôle aérien, une vente de voiture où vous vous faites escroquer.

Et pourtant, même alors, Wenders conserve, sous une forme rudimentaire, le souvenir des anciens dangers. Philip Winter fait montre dans *Alice,* surtout pendant son voyage à travers l'Amérique, d'une attitude dégoûtée, plaintive et c'est seulement à

---

(*) En français dans le texte.

la fin lorsque le policier leur donne l'adresse de la grand-mère d'Alice, qu'un rire libérateur lui rend vraiment sa sérénité. Le voyage que fait Philip à travers l'Amérique est le contraire de ce que l'aventure libératrice était autrefois : à savoir, d'abord, un travail. Ses impression ne sont que le matériau du reportage qu'il doit écrire. Les contraintes de la sédentarité − l'exploitation immédiate de toute chose − ont rattrapé le nomade de la civilisation technique. Même dans le monde qu'il trouve devant lui : radio, télévision, motels et cabanes à frites − tout est partout identique.

C'est une expérience que Wenders a dû faire lui-même en partie pendant les préparatifs du tournage. Peter Genée, le directeur de production d'*Alice* raconte que Wenders insistait sans cesse pour que l'équipe pousse à chaque fois un peu plus loin que prévu vers le sud des Etats-Unis. Il fallait à chaque fois que le paysage eût un aspect plus méridional, plus étrange − un autre aspect que celui qu'il avait sur le lieu du tournage. Quand on voit le film maintenant, il faut bien dire, en tout cas, que ça n'a pas été une réussite. Involontairement Wenders n'a réussi qu'à se confirmer lui-même.

Pourtant, lorsque l'agent de New York lui reproche son manque de professionnalisme, parce qu'il a dépassé les délais, Philip lui dit de façon quelque peu provocante : « Quand vous voyagez à travers l'Amérique, ça vous fait quelque chose ! » Mais il semble plutôt qu'il s'accroche à une espérance depuis longtemps déçue. Philip croise seulement la véritable aventure lorsqu'il se retrouve avec la récalcitrante Alice sur les bras. Et c'est aussi ce que montre son rire, à la fin du film, lorsque le policier lui indique enfin un but qui met fin à la recherche. Le rire, selon Horkheimer et Adorno dans la *Dialectique de la raison*, « promet le retour dans la patrie », la patrie ne désignant pas ici nécessairement un lieu, mais au contraire le fait de « s'être échappé » [1].

La question est maintenant de savoir à qui ou à quoi il faut donc échapper. L'absence de but, chez tous les personnages de Wenders, donne une indication : ce qui les fait agir, ce n'est pas un plan conscient mais seulement un sentiment, plutôt vague, de malaise. A aucun moment ils ne se sentent bien, parce qu'ils trouvent partout devant eux la même chose que ce qu'ils ont fui. Chacun d'eux est au fond resté cet enfant entêté qui, dans la

1. Max Horkheimer, Theodor W. Adorno, la *Dialectique de la raison*, traduit de l'allemand par Eliane Kaufholz, Paris, Gallimard, 1974, Collection Tel, pp. 89-91.

*Famille Crocodile,* une courte dramatique télévisée en deux épisodes, s'enfuit de la maison de ses parents et se réfugie dans le zoo, cette illusion exotique de vie sauvage. Cette petite Ute – dans le scénario, Wenders, pour la caractériser, rappelle expressément les photos de Lewis Carroll – sent confusément, mais d'autant plus intensément, qu'elle s'étiole dans la belle ordonnance de la vie de famille et qu'on la trompe sur son avenir.

A la fin de ce film de commande, qui n'a d'importance, pour l'œuvre de Wenders, que dans la mesure où il est encore une fois une manière d'éprouver le caractère de l'Alice du conte en la confrontant à un environnement réel, Ute, qui ne voit pas d'autre voie de salut, grimpe sur un arbre élevé dont même les pompiers, qu'on a appelés au secours, ne réussissent pas à la faire descendre. Tous la tourmentent à force de menaces et d'intimations, mais celles-ci ne font que renforcer l'enfant, qui passe plutôt pour difficile, dans son entêtement. Monika, la monitrice du centre aéré est la seule à comprendre ce qui se passe dans sa tête. Elle crie à l'enfant : « Reste là-haut, Ute, reste là-haut. Tout va bien comme ça », et elle apaise la mère : « Elle redescendra bien. Ça lui fait du bien. Elle aura changé, dans quelque temps, en tout cas... »

Wenders joue encore une fois de la dialectique de la sédentarité et du nomadisme à un niveau très général ; mais il s'agit moins ici de l'histoire de l'humanité que de l'histoire de l'être humain isolé. Au lieu de renvoyer, par allusions, au premier âge de la civilisation, il fait retour au premier âge de l'individu. Wenders réalise ici ce que Walter Benjamin avait noté dans une remarque philosophique de *Sens unique* « Reviens ! Tout est pardonné » : « car cela seul que nous savions ou pratiquions déjà à quinze ans fait un jour toute notre *attrativa*. Et il y a pour cette raison quelque chose qu'on ne peut jamais rattraper : c'est d'avoir négligé de s'être enfui de chez ses parents. Cette exposition de quarante-huit heures pendant ces années-là permet au cristal du bonheur de vivre de se rassembler comme dans une solution alcaline » [1].

Il y a lieu de supposer que l'image de la petite Ute perchée sur son arbre a une origine autobiographique. Après la première de *Lightning over water,* à Cannes, en 1980, où fut présentée la première version du film, due à Peter Przygodda, je demandai à Wenders selon quel principe et dans quelle intention il avait

1. W. Benjamin, *Sens unique,* traduit de l'allemand par Jean Lacoste, Les Lettres Nouvelles, Maurice Nadeau, Paris, 1978, p. 154.

« Reste là-haut, Ute... »

Séquence finale de l'*Ile*

65

réalisé les nombreux plans aériens, non seulement de ce film mais de son œuvre entière. Et Wenders, qui a toujours peur des concepts, a répondu par un souvenir d'enfance : « Toutes les fois qu'enfant je me sentais très incertain, je désirais être quelque part, très haut. J'avais alors une meilleure vue d'ensemble. »

Il est toujours un peu délicat de citer une conversation privée ; et de fait, ça n'aurait pas une grande valeur, si cette citation ne venait pas confirmer ce qui vous saute aux yeux dans les scènes en question dès que vous en avez pris connaissance. Dans *Summer in the city* déjà, quand décolle l'avion qui emmène Hans de Munich à Berlin, c'est la chanson « I am free » qui fournit le commentaire musical et il y a ensuite un plan que l'on retrouve, d'*Alice* à l'*Etat des choses,* dans pratiquement tous les films de Wenders : l'image prise de la cabine de l'avion, coupée en diagonale par l'aile qui avance tranquillement au-dessus des nuages.

Mais ce sont là des images qu'on ne voit qu'adulte. Les enfants comme Ute, dans la *Famille Crocodile,* peuvent seulement grimper aux arbres et ils sont de ce fait forcément limités, lorsqu'ils « planent » — c'est ainsi que la langue normale des bourgeois désigne, péjorativement, ces tentatives de fuite profondément désirées. L'image de la petite fille grelottante sur son arbre, qui voudrait bien, effectivement, revenir dans la chaude maison de ses parents, mais repousse avec entêtement le moment où il lui faudra reconnaître sa défaite, est peut-être celle qui montre le plus clairement que, chez Wenders, ce que Benjamin appelle « l'exposition »[1] et Adorno/Horkheimer le fait de « s'être échappé », se confondent de plus en plus. Et, au fur et à mesure que ces deux termes se confondent, la patrie et l'étranger se vident de plus en plus de leur sens premier.

Pourtant, comme s'il lui fallait confirmer encore une fois tout cela par lui-même, Wenders tourne ensuite deux films dont l'action se déroule dans deux régions d'Allemagne remarquablement chargées d'histoire : la Rhénanie que les romantiques ont élevée au rang de pays mythique et qui, état frontalier de la France, a été, dans l'histoire politique de l'Allemagne, au plus tard à partir des guerres napoléoniennes, une sorte de symbole de la conscience nationale à cette époque ; et la zone qui s'étend le long de la longue ligne frontière entre la République fédérale

---

1. Preisgegebenheit : le fait d'être exposé (au danger, au froid, etc.), d'être à la merci de quelque chose. (N.D.T.)

*Summer in the city* (en haut à g.) – *Lightning over water* (en haut à dr.)
– *Faux Mouvement* (en bas).

d'Allemagne et la République démocratique allemande, dans
laquelle se manifeste la partition d'une nation.

Malgré le sentiment de malaise qui lui fait prendre en dégoût sa
ville natale de Heide, Wilhelm, celui-qui-voudrait-bien-être-poète,
dans *Faux Mouvement,* est poussé au-dehors, vers le monde, par
sa mère, plutôt qu'il ne s'en va de lui-même. Au cours du voyage

C.D. Friedrich : *Le voyageur au-dessus de la mer de nuage* (vers 1818).

qui le mène de l'extrême nord de l'Allemagne à l'extrême sud, du
plan horizon de la mer du Nord à la plus haute montagne, le
hasard rassemble à Bonn, dont Adenauer fit autrefois la capitale
provisoire de la jeune République fédérale, une petite troupe
colorée d'artistes bohèmes, au sein de laquelle chacun trouve
autre chose que ce qu'il cherche véritablement. Ils errent à travers
le pays allemand, à travers des villes allemandes, font — sans

vraiment s'en rendre compte − l'expérience de la « solitude en
Allemagne » dont parle l'industriel qui ensuite se pend, mais n'en
tirent pas d'autre conséquence que de se perdre volontairement
dans la cohue des hommes affairés. A la fin Wilhelm se retrouve
seul, tout à fait déplacé avec son trench-coat et son attaché-case au
sommet du Zugspitze comme le *Voyageur au dessus de la mer de
nuages* de Caspar David Friedrich. Il n'a pas obtenu ce qu'il

voulait ; il n'a toujours pas écrit une ligne qui vaille d'être conservée, mais toujours est-il qu'il a gagné, au point culminant de l'Allemagne, la possibilité d'une vue d'ensemble sur lui-même.

La façon dont Wenders a modifié la conclusion du récit [1] de Handke est significative ; en effet Handke conclut — et l'on retrouve à peu près la même chose dans le scénario de Wenders — : « Lent fondu : le Zugspitze sous la neige. En même temps, grandit une rumeur d'orage. Sur le fond du ciel gris, un amas de neige, blanc, allongé. La rumeur de l'orage. S'immisce le bruit d'une machine à écrire qui devient de plus en plus fort. THE END. » [2] Dans le film, Wilhelm regarde le paysage dégagé des montagnes enneigées devant lui et on l'entend, en off, prononcer le monologue où il résume le film : « J'ai dit à Thérèse que je voulais rester en Allemagne, parce que je sais encore trop peu de choses sur l'Allemagne pour pouvoir écrire sur elle. Mais ce n'était qu'un prétexte. Mon seul désir, en réalité, était d'être seul, pour qu'aucun importun ne vienne troubler mon apathie. J'étais au sommet du Zugspitze et j'attendais l'événement comme un miracle, mais la tempête de neige n'a pas éclaté. Pourquoi m'étais-je enfui ? Pourquoi étais-je ici, plutôt qu'avec les autres ? Pourquoi avais-je menacé le vieux, au lieu de le laisser m'en raconter plus long sur lui-même ? J'avais l'impression d'avoir manqué quelque chose, et de continuer à manquer quelque chose à chaque mouvement. »

Wilhelm est trop vieux pour que les pompiers viennent le faire descendre du point de vue élevé où il se trouve et le ramener sur le sol de sa propre personnalité. Mais même lorsque sa mère le presse de partir en voyage, même lorsqu'il dit de lui-même qu'il s'est « enfui » devant les autres, il a conservé, pour reprendre la parabole de Benjamin, au moins un pressentiment du « cristal du bonheur de vivre ». Wilhelm est à tout le moins le premier personnage de Wenders qui possède l'indomptable désir d'être créatif, même s'il en est empêché par une caractéristique que l'on retrouve aussi dans la plupart des autres personnages de Wenders : il se dérobe devant toute réelle confrontation avec les autres.

Wenders a tourné *Au fil du temps,* entre autres raisons, pour

---

1. Filmerzählung, c'est ainsi que Handke et Suhrkamp ont désigné la première version du scénario de *Faux Mouvement,* écrite par Handke. (NDT).

2. Peter Handke, *Falsche Bewegung,* Surkhamp Taschenbuch 258, Francfort, 1978, p. 81.

faire redescendre Rüdiger Vogler, le Wilhelm de *Faux Mouvement,* du Zugspitze [1]. Et je me souviens que Wenders, lorsqu'il vit avec son équipe le premier bout-à-bout du film au Arri-Kino de Munich, me dit que c'était « à Rüdiger » qu'il « devait » le film. Je n'ai vraiment pas du tout compris alors et j'ai plutôt pensé que c'était une remarque un peu maniérée, pour écarter les questions pénibles sur l'achèvement de la version définitive. Aujourd'hui, je vois plutôt dans cette remarque une preuve du sérieux et de la tendresse dont l'attachement de Wenders à ses personnages est empreint.

Manifestement il a dû lui être insupportable de laisser Wilhelm − à qui il avait déjà refusé la possibilité, prévue dans la conclusion apaisante de Handke, d'écrire enfin − pour l'éternité, là-haut, sur cette hauteur enneigée, avec tous ses doutes sur lui-même, comme la petite Ute en haut de son arbre. Car la hauteur, pour le rappeler encore une fois, offre la possibilité d'une vue d'ensemble, à un moment, sur la situation extérieure, mais, plus encore sur la situation intérieure, et par là aussi un certain apaisement, mais le point de départ, l'incertitude fondamentale qui vous a poussé à prendre de la hauteur n'est pas pour autant surmontée.

Dans ce cadre − et pas seulement dans ce cadre, il faut dire que le rôle que Wenders a trouvé pour Vogler dans *Au fil du temps* est simplement génial. Car Bruno, le « King of the road » a pour ainsi dire résolu la quadrature du cercle, il a atteint sous toutes ses formes la plénitude à laquelle aspiraient fondamentalement jusqu'alors tous les personnages de Wenders : il est toujours sur la route et pourtant toujours chez lui. Son camion lui sert de maison, comme sa coquille à un escargot, et d'atelier. Sur ce plan, au moins, l'opposition de la patrie et de l'étranger est dépassée.

Au prix d'une solitude totale, il a trouvé ce que ses « prédécesseurs » cherchaient, inquiets et incertains peut-être, mais justement avec d'autant plus d'obstination : une liberté que rien ne vient entraver, la sûreté de soi. Il y a soudain, qui caractérisent le personnage de Bruno, une douceur, un équilibre tels qu'il semble que rien de grave ne pourrait lui arriver. Si l'on excepte la visite qu'il fait dans la maison de son enfance, rien ne semble plus pouvoir réellement l'affecter. Il a presque atteint l'état d'esprit du joueur professionnel qui ramasse impassible les bonnes et les mauvaises cartes.

1. J. Dawson,*ibid.,* p. 24.

Cependant, le prix de son autosuffisance, qui relève presque, déjà, d'une utopie, n'est pas seulement la solitude, mais aussi que, d'une certaine façon, il n'éprouve pas d'intérêt pour la vie. Bruno, que rien ne trouble ni n'atteint, voyage en ce milieu de l'Allemagne, une région qui décline à cause de la frontière et devient de plus en plus provinciale ; il est amical, curieux, serviable, mais plus rien ne peut réellement le toucher. Le cinéma allemand se provincialise, et Bruno s'oppose à sa manière à la disparition de cette province du cinéma en maintenant en état de marche les appareils de projection des cinémas de province ; mais, en même temps, il est contaminé par l'absence de perspective de son travail. Il croit être parvenu à un état où il n'éprouve plus ni trouble ni passion, mais cet état suppose, au premier chef, une résignation considérable face à la vie. Ce n'est sûrement pas un hasard si Wenders fait lire à son personnage *Palmiers sauvages* de Faulkner, qui se termine par la phrase célèbre (qui est d'ailleurs citée par Godard dans *A bout de souffle*) : « Ayant à choisir entre la souffrance et le néant, je choisis la souffrance ». (Un autre roman de Faulkner, *Moustiques,* où l'on trouve une description pleine d'ironie de la colonie d'artistes de la Nouvelle-Orléans, est placé en évidence près de la porte, dans la chambre de Wilhelm, dans *Faux Mouvement*).

Robert, ainsi, est l'exacte antithèse de Bruno, non seulement par le caractère, mais aussi par la conception qu'il a de la vie. Robert souffre encore — de lui-même et des autres — et il veut se battre, mettre de l'ordre, changer la vie. Pour lui, c'est encore vraiment une question « de vie ou de mort », comme dit ironiquement Bruno, et, comparé à Bruno et à sa vie d'escargot, Robert est vraiment un kamikaze [1] qui fonce tête baissée, furieux, outragé et méprisant la mort. Tandis que Bruno ne fait que regarder le monde à distance et avec résignation, et qu'il attend déjà proprement le néant, lui choisit la « souffrance » (pour rester dans le cadre fourni par l'opposition de Faulkner), le seul choix possible pour celui qui veut infléchir la vie.

« La vraie vie est ailleurs » dit le Pierrot le fou de Godard, et, comme pour prouver qu'il ne veut pas plus longtemps respecter les règles réelles d'une vie falsifiée, il se précipite dans la mer au volant de la grosse voiture qu'il a volée. Wenders fait référence à cette scène, lorsque Robert fait son apparition dans le film en

---

1. C'est le surnom de Robert dans le film, comme « King of the road » est celui de Bruno (N.D.T.).

roulant vers la mort. Il a roulé toute la nuit, comme on l'apprend par la suite, depuis Gênes. Et, peu avant que la rivière ne mette fin à sa fuite sans but, il déchire l'image de la maison où il a laissé sa femme ; et, tandis qu'il est lancé, à fond, sur la route de campagne où sa voiture soulève un nuage de poussière, il ferme les yeux de manière expressive (comme Philip Winter dans *Alice*) comme si la façon dont le voyage s'achève lui était complètement indifférente.

Mais l'eau l'a à peine réveillé de sa transe, qu'il recommence à se battre : il cherche aussitôt querelle à Bruno, mais celui-ci est, il est vrai, beaucoup trop bon enfant pour se laisser entraîner dans un conflit. Il ne fait pas de doute que le « kamikaze » éprouve bien quelque envie à l'endroit de ce Diogène en camion, mais il est trop impulsif, trop curieux, il veut trop avoir raison pour maintenir ne serait-ce qu'un petit peu plus longtemps entre eux le mensonge d'une harmonie. Il se mêle aussitôt de tout, met le plan de route de Bruno sens dessus dessous, il se moque de lui et de sa solitude (solitude dont il souffre cependant lui aussi), il lui trouve un « sous-locataire », dont il va pourtant ensuite se débarrasser, en se servant de Bruno ; il cherche querelle à son père, à qui il dit enfin (vingt ans trop tard) ce qu'il pense, et finalement, Bruno et lui se séparent, à cause d'une discussion qu'il a suscitée dans le poste d'observation américain, à la frontière, sur la question de savoir si on peut vivre sans femme. Mais, comme en vue d'une tacite réconciliation, il met sur la porte, en signe d'adieu, un bout de papier avec le principal message de sa génération : « Tout doit changer ».

Cette phrase marque un aboutissement − à plusieurs points de vue. Wim Wenders a pris les mesures de l'Allemagne dans trois films : venant de l'étranger il est arrivé dans un pays qui aurait dû être sa patrie (*Alice*). Il a cherché, du nord au sud, de la mer aux Alpes, à percer à jour la solitude et le climat contraires à la création qui règnent dans ce pays et à en élucider le passé *(Faux Mouvement)* ; et enfin il a décrit l'état de l'Allemagne divisée en montrant l'état de décomposition de cette province du cinéma, où chaque geste devient sa propre fin, où toute fin se greffe de nouveau au début en un mouvement monotone comme la boucle du film porno que Bruno présente à Pauline (*Au fil du temps*). Tout doit changer, c'est un verdict impitoyable porté sur l'état du pays dont la trilogie de Wenders est la description.

C'est la vieille propriétaire d'une salle de cinéma qui prononce la dernière phrase d'*Au fil du temps* : ...« au point où on en est, il vaut mieux qu'il n'y ait plus de cinéma du tout, plutôt qu'il y en

…n, au point où il en est. » Le cinéma a dégénéré en un …merce douteux, qui réduit à néant « toute joie de vivre » chez …spectateur et le fait sortir des salles divagant, « paralysé et engourdi par la bêtise ».

Écrire, voir des films et faire des films – ce sont pour Wenders des activités presque utopiques, qui font progresser le monde. Philip Winter ne vient pas même à bout du banal reportage qu'on lui a demandé ; Wilhelm Meister ne peut pas écrire parce qu'il est, comme tous les autres, incapable de fréquenter plus longtemps les hommes, de s'intéresser à eux, de faire somme toute réellement leur connaissance. Il est significatif que la petite troupe d'artistes se sépare justement dans un centre commercial, où les hommes ne font plus que consommer sans tenir compte de rien d'autre et où même le film, celui que Wilhelm réalise en appuyant quelques secondes sur le déclencheur de la caméra, n'est plus que le support d'un souvenir pour le touriste et la preuve qu'il était là, observation rapide de la surface des choses plutôt qu'occupation réelle.

Mais l'humeur chagrine et plaintive qui ne caractérise certainement pas les seuls personnages de Wenders, mais aussi, à vrai dire, toute la génération de l'après-guerre, doit elle aussi changer Il était typique de cette génération, dite de 68, qu'elle ait si vite battu en retraite dans la sphère du privé, pour lécher ses blessures en larmoyant à l'intérieur de ses quatre murs, après que la révolte contre les pères et leurs institutions a eu si vite échoué. La réalisation de soi, ce but à la poursuite duquel tous les personnages de Wenders sont lancés, n'a pas été atteinte. Leur laisser-aller, leur fuite constante au premier désagrément est l'expression de leur échec, de leur résignation, et, finalement, de leur impuissance, qui se manifeste toujours, chez Wenders, dans le rapport à l'art et les relations avec les femmes.

Cette génération n'a fait que chercher au hasard quelque chose de tout à fait autre, dans une attitude de pure opposition à ce qui existe, ce qui n'a manifestement pas libéré en elle assez de forces pour réaliser vraiment une autre vie que celle des gens en rupture de ban et autres fuyards. De ce point de vue aussi, *Au fil du temps* marque un aboutissement. Bruno, ce mollusque vulnérable dans sa coquille d'escargot à moteur, qui n'est un *King of the road*, un véritable roi de la route que pour ses semblables, parce que son camion est un peu plus gros et imposant que la Renault 4 louée par Philip ou que la vieille Volkswagen de Robert, ce Bruno est à l'évidence le produit achevé d'une génération qui ne trouvait encore moyen de résister à ce qui existe que dans la fuite et le retrait, et non dans l'affirmation de soi. Ils s'étaient proposé alors de se réaliser eux-mêmes, mais ils sont devenus eux-mêmes différents de ce qu'ils espéraient.

Ils n'ont en rien adopté, c'est certain, le comportement aveugle de leurs pères et n'ont pas pris part à la tentative qu'ils faisaient de surmonter, à force de compétence, leurs coupables compromissions de l'époque nazie. Mais ils n'ont plus vraiment part à quoi que ce soit, si ce n'est qu'ils se plaignent en chœur que le monde n'est pas comme il devrait être. La route, sur laquelle ils cherchent, dans un pays devenu coupable, leur identité, a colonisé leur inconscient au moins autant que le rêve de la culture américaine. La patrie, ce pays étranger dans leur propre pays, a fait pour eux naufrage, elle est devenue un lieu mythique de l'enfance.

Mais la reconnaissance de cet état de fait leur fait prendre conscience de ce qu'ils ont vieilli, de ce qu'ils ont eux-mêmes désormais une histoire, et n'ont plus besoin de souffrir sous le poids de l'histoire de leurs pères. « Je suis mon histoire », dit Robert, et il est aussi, très logiquement, le premier personnage de Wenders qui, ayant compris cela, en tire aussi les conséquences. Lui, qui est « une espèce de pédiatre », abandonne la coquille d'escargot de Bruno et, dans la gare, il échange la dernière chose qui lui reste, à savoir une valise de métal vide − il en a déjà jeté le contenu − contre le cahier d'écolier de l'enfant qui attend. Dès qu'il est dans le train, alors qu'il croise pour la dernière fois le chemin de Bruno, il commence à écrire. Pour le kamikaze, c'est, pour finir, de nouveau, une question de vie ou de mort.

Si le personnage de Bruno concentre en lui-même tout ce que Wenders a fait jusqu'à cette date, s'il est le produit achevé d'une évolution que Wenders a voulu rendre fidèlement, avec soin et tendresse, à travers six longs-métrages et une courte dramatique télévisée, Robert quant à lui renvoie déjà à la période suivante et, par là, malgré le saut qualitatif qui se produit dans cette période, il établit en même temps un lien de continuité entre les deux. L'inquiétude agite Robert aussi violemment que les autres. mais il se refuse à faire de cette agitation une fin en soi. Il n'a pas encore oublié ce qui est derrière le désir de se réaliser soi-même : le rêve d'une vie véritable ; l'enjeu, pour lui, c'est encore ce tout. C'est pourquoi il combat encore, se jette la tête la première dans la vie, et c'est parce que cet enjeu est à ce point vital pour lui qu'il est le premier des personnages de Wenders à rencontrer la mort.

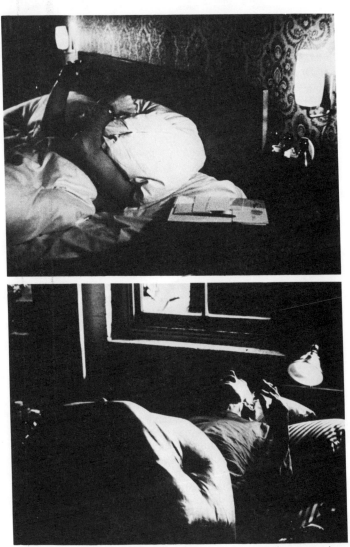

*L'Ami américain* (en haut à g.) – *Lightning over water* (en bas à g.) –
*Au fil du temps* (en haut à dr.) – *L'Etat des choses* (en bas à dr.)

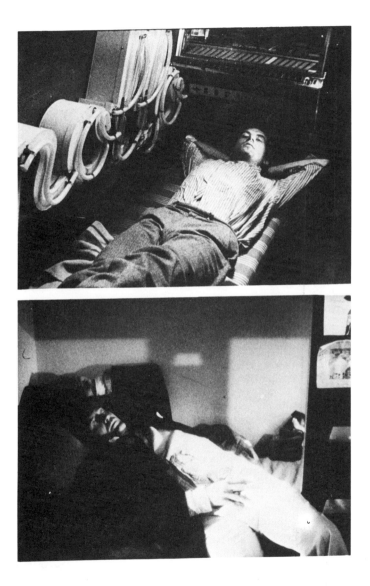

C'est Robert qui trouve l'homme qui pleure parce que sa femme s'est volontairement jetée en voiture contre un arbre ; et c'est pourquoi il ne cesse d'appeler au téléphone la femme qu'il vient de quitter parce qu'il a peur « qu'elle se fasse quelque chose » ; pourtant Wenders a campé son personnage de telle sorte que c'est d'abord autour de lui qu'on devait avoir peur.

C'est une composante tout à fait nouvelle dans l'image du monde de Wenders. La mort, telle qu'elle apparaît avec Robert, plutôt sur le mode d'un vague pressentiment, n'a rien à voir avec cette mort de la caméra que nous avait montré *Alabama*. Ni non plus avec l'*Angoisse du gardien de but,* où la mort (meurtre de la caissière de cinéma par Bloch et meurtre de l'écolier) n'était qu'une béquille dramatique destinée à faire démarrer l'action conformément aux lois du genre et à en soutenir le rythme. Ce n'étaient que des possibilités synthétiques. Avec Robert, la mort entre en jeu comme le danger auquel il faut que la vie s'expose, elle assume une fonction que l'aventure à l'étranger a perdu depuis longtemps. Puisque les personnages de Wenders se sentent désormais, d'un commun accord, partout des étrangers, au moins des voyageurs, il n'y a plus pour eux de frontières géographiques. Le nouveau défi − la frontière la plus proche, la frontière absolue − c'est la mort.

Sans aucun doute, avec l'*Ami américain,* c'est un nouveau chapitre qui commence dans l'œuvre de Wim Wenders. C'est peut-être plus évident encore au niveau du style − sur lequel nous reviendrons encore − qu'à celui des thèmes. S'il fallait définir le saut qualitatif que représente ce film, c'est, bien sûr, par le fait que l'accent s'est clairement déplacé de l'histoire sur le récit. Le travail d'*Au fil du temps* a été de dépasser les expériences de la génération d'après-guerre et les hypothèques qui pesaient sur elle, de mettre à plat les carences et les espoirs de cette génération, de définir les fondements d'une pensée qui soit vraiment la sienne.

Wenders est libre, dès lors, de s'attacher à des individus qui ne sont plus dans le cas de ne pouvoir trouver leur identité qu'en l'arrachant à un passé non encore élucidé. Ses personnages sont libres eux aussi : plus rien ne les oblige à fuir, ils sont dégagés de tous liens, exilés dès le début : Jonathan, l'encadreur de Hambourg, est Suisse de naissance : Ripley, cow-boy à Hambourg, est chez lui nulle part et partout ; Derwatt, qui passe pour mort, vit à New York sous un faux nom ; et Minot, qui a lui aussi plusieurs noms, appartient à une bande internationale de gangsters. Marianne est la seule qui pourrait avoir une identité bien définie mais elle n'est « que » la femme de Jonathan, une femme sans histoire propre.

L'origine, le passé n'ont plus aucun rôle, ou alors, si ces éléments interviennent, c'est négativement, pour ne signaler que leur insignifiance. L'*Ami américain* est, de façon très marquée, un film sur l'inter-nationalité. Ces hommes n'ont plus de patrie, rien ne pèse donc plus sur eux. Le monde s'est rétréci en un village planétaire et la distance de New York à Hambourg n'est pas plus grande désormais que celle qui sépare deux séquences dans le film. Dans un monde qui s'est à ce point rétréci – historiquement aussi bien que géographiquement – ce moment prend dans l'œuvre de Wenders une importance considérable, ainsi que la direction où elle est poussée par la configuration qui est maintenant celle des personnages : c'est le passage de l'histoire au récit, de l'histoire qui cherche à liquider le passé en traînant derrière elle dans une certaine mesure les liens mythique de la culpabilité – au récit moderne, que sa configuration même contraint à aller seulement de l'avant.

Pour les personnages de Wenders, que l'espoir en un au-delà ne fait obéir à aucune morale supérieure mais qui établissent au contraire leurs propres codes individuels de conduite et d'honneur, cette progression du récit finit forcément par la mort, comme fin naturelle de l'individu. A coup sûr il se peut que cela paraisse de prime abord insignifiant, mais les conséquences en sont imposantes. Car le thème ancien de Wenders continue de se développer sur le terrain nouveau de l'œuvre, qui ne nie l'ancien qu'en apparence. De fait, si la patrie signifie qu'on s'est échappé – et d'abord qu'on s'est arraché aux liens de culpabilité qui caractérisent la patrie –, ceux qui n'ont pas de patrie, qui sont en apparence si libres de tous liens, ne peuvent plus s'échapper. « Le transfert des mythes dans le roman tel qu'il s'accomplit dans le récit d'aventures ne fausse pas tant les mythes qu'il les intègre de force dans la temporalité, découvrant l'abîme qui les sépare de la patrie et de la réconciliation » [1]. C'est ainsi que le récit moderne, qui ne se souvient plus d'aucune culpabilité passée, tombe, dans sa progression, sous le coup de cette culpabilité. Il retrouve obligatoirement dans sa marche en avant ce qu'à son point de départ il avait refoulé.

La violence dont Wenders évoquait le souvenir dans ses premiers films était toujours la violence dont les autres étaient

---

1. Horkheimer/Adorno, *ibid.*, p. 90.

Nicholas Ray : *Les Indomptables*

coupables − la génération des pères contre laquelle l'histoire a
retenu la charge du national-socialisme aussi bien que ceux qui
ont, par la Reconstruction, bouché l'avenir. Même chez Bloch, le
gardien de but, qui a tout de même commis un meurtre, on ne
trouve pas trace d'un sentiment de culpabilité. Mais on retrouve
toujours, dans chacun de ces films, même s'il n'est pas exprimé
oralement, un souvenir de cette violence (qui appartient au passé,
aux autres) ; pourtant ce souvenir, parce qu'il prenait en compte
quelque chose de passé, non seulement faisait naître le désir, mais,
de fait, donnait aussi la liberté de faire quelque chose de tout
autre. Et la conscience de cette liberté, aussi limitée qu'elle ait pu
être en fin de compte. n'en mettait pas moins fin à la violence,
parce qu'elle rendait possible l'utopie et permettait de s'échapper.

Puisqu'il n'y a désormais plus rien qu'il soit nécessaire de fixer
par un souvenir pour échapper au mythe, que l'action désormais
avance droit devant elle sans savoir d'où elle vient, comme la
civilisation impitoyable et destructrice des villes modernes où elle
se déroule, la violence éclate sur la tête des individus aveugles. Ils
deviennent tous coupables, sans exception, contrairement à leurs
propres intentions, et ne peuvent pourtant éviter la mort, à
laquelle ils veulent échapper.

Il n'y a plus de troc possible avec la mort dans une civilisation
prétendument « éclairée ». Dans le mythe que les nazis, mais aussi
Hollywood, faisaient mensongèrement passer pour une patrie,

REGEL OHNE AUSNAHME
RUHE VOR DEM STURZ
IM RAHMEN DES MÖGLICHEN
GEGEN DIE REGEL
AUS DEM TRITT
EIN SCHATTEN SEINER SELBST
AUS DEM RAHMEN GEFALLEN
TILT. EXIT. KILL.
AUS (SCHLUSS. AUS)
AUS DEM TRAUM.
DIE RUHE. DER TOD.
DER MÜDE TOD.
DAS ENDE VOM LIED?
RUHIG BLUT.
DIE KURZE FRIST

AUS DER TRAUM x
EXIT
AUS DEM RAHMEN
IM RAHMEN x
NICHT IM RAHMEN
DER RAHMEN ...
NACH ... EINEM ...
RAHMENLOS
BILD OHNE RAHMEN
OHNE RAHMEN

*L'Ami américain*

c'était encore possible. Parce que le mythe, cet ensemble de liens de culpabilité, est lui-même un système de troc dans lequel chacun doit quelque chose à chacun, on pouvait toujours jouer un tour à la mort ; chacun connaissait les règles et pouvait les appliquer à d'autres pour en tirer profit. Les règles du mythe laissaient place à de nombreuses exceptions. Dans la civilisation moderne, qui croit avoir échappé au mythe, il n'y a plus de troc, tout échange doit être payé comptant – pas d'exception à la règle.

« Règle sans exception » : ce devait au début être le titre de l'*Ami américain,* ou encore « le Cadre », titre qui devait renvoyer, comme le *Cercle rouge* de Melville, à la situation sans issue de l'encadreur. De petites feuilles de notes glissées au début du scénario de Wenders ont gardé la trace de ses réflexions à propos du titre – et donc de la façon dont il a conçu le problème de ce récit cinématographique. Elles prouvent que Wenders a caressé l'idée qu'il pourrait y avoir pour Jonathan une exception, une issue : Exit, Hors cadre, Contre la règle. Mais elles établissent aussi que pour Wenders le rêve d'une utopie possible s'est dissipé : Hors du rêve, Dans le cadre du possible, la Mort fatigué, la Fin de la chanson.

Mais si, dans le cadre du possible, le chemin vers un avenir meilleur est barré, alors, de fait, la mort reste la seule conséquence dernière. Depuis l'*Ami américain,* Wenders, qui est, à l'ordinaire plutôt économe de réflexions théoriques, cite volontiers la phrase de Cocteau selon laquelle faire des films, c'est regarder la mort au travail.

Ce n'est à vrai dire que la conséquence logique de la décision qu'il a prise de passer au récit cinématographique moderne ; car celui-ci ne se laisse plus décrire comme un itinéraire qui, avec tous ses détours, détermine les différentes stations de l'action, mais comme le développement du thème, au contraire, qui, suivant sa propre logique interne, provoque nécessairement des événements déterminés. Dans le récit − pour dire les choses *grosso modo* − quelque chose doit être mené à son terme, et la mort est précisément le terme absolu, définitif.

La conclusion des trois films de la trilogie était ouverte. Le spectateur comme l'auteur pouvaient rêver la suite de l'histoire : Philip et Alice sont encore dans le train quand la caméra s'élève triomphalement ; Wilhelm est abandonné, solitaire, sur le Zugspitze (et il lui faudra bien redescendre un jour) ; et lorsque se croisent une dernière fois les chemins de Bruno et de Robert, pour de nouveau se séparer ensuite, tous deux ont encore l'espoir que tout change complètement et c'est encore pour eux une chose possible.

Mais un récit, s'il est réellement mené à son terme, ne va pas plus loin ; et la meilleure garantie que tout est fini − à supposer que l'on ne croie pas, comme Bresson par exemple, en un au-delà − c'est la mort (celle du personnage principal du moins). « Rideau. Fini » était l'un des titres auquel Wenders avait pensé et qu'il avait noté sur les petites feuilles dont nous avons parlé.

De ce point de vue, quand Wenders décide de faire jouer ceux des personnages de son récit qui sont impliqués, d'une façon ou d'une autre, dans le crime et la violence par des metteurs en scène, cette décision va bien plus loin qu'une plaisanterie à usage interne. Elle n'est rien d'autre, en fin de compte, qu'un aveu par lequel un cinéaste se reconnaît coupable au nom de beaucoup d'autres cinéastes qui utilisent eux aussi cette forme de récit. Wenders a très souvent fait allusion, dans de nombreux entretiens et interviews, au fait que les auteurs et les metteurs en scène mettaient souvent beaucoup trop peu de scrupules à tuer les gens, en se reposant pour cela sur l'idée que ça n'est que du cinéma, de la fiction.

Ce qui montre que Wenders aborde la fiction avec beaucoup plus de scrupules et un sens beaucoup plus profond de sa responsabilité, c'est la façon dont il a répondu aux questions qui lui furent posées sur ce sujet lors de la conférence de presse du

New York Film Festival : « I feel guilty ». [1] C'est sans doute au nom de cette responsabilité du metteur en scène que John Ford a tourné les *Cheyennes,* un film qui est dans une certaine mesure une manière symbolique de réparer, et décrit la passion d'une tribu indienne sur le point de disparaître. « J'ai suffisamment tué d'Indiens dans ma vie », telle fut la laconique explication de Ford sur la morale de son film.

Si l'on prend l'aveu de culpabilité de Wenders au sérieux, on ne peut plus voir en *Lightning over water* un film de circonstance, même si l'on croit connaître tous les contre-temps, les hasards et les circonstances qui sont en tout état de cause à l'origine de ce projet, et l'ont ensuite, une fois que le travail a commencé, constamment modifié. Bien sûr, c'est d'abord « par impatience » que Wenders a fait *Lightning over water,* parce que *Hammett* n'avançait plus. Et *Lightning over water* a donc été, honnêtement, parmi d'autres, un film sur un film qui n'a pas abouti.

Wenders voulait raconter, en collaboration avec Nicholas Ray — c'est ce qu'il lui propose dans le film — une histoire qui aurait porté sur un peintre atteint d'un cancer. Mais la maladie mortelle de Ray infléchit de plus en plus le projet initial. Dans la première version, montée par Peter Przygodda, mais que Wenders retira ensuite de la circulation, le projet s'est transformé en un documentaire, monumental incontestablement, sur la mort d'un artiste. Il faut croire que cette version a provoqué une certaine fureur chez Wenders, il n'en a pas été satisfait en tout cas, et il monta lui-même, en quatre mois de travail, une nouvelle version dont il m'a dit à Venise qu'il était « vraiment fier maintenant ».

De fait, la différence entre les deux versions est significative et l'on voit clairement dans la version définitive combien Wenders a investi un thème fondamental pour lui. Bien que le caractère de la fiction y soit beaucoup plus prégnant, parce que c'est de façon beaucoup moins ambiguë sous la propre perspective de Wenders — donc, indirectement, à travers le prisme d'un narrateur — que nous sont montrés les progrès de la mort chez Ray, la « vie » et le « cinéma » y sont inséparablement mêlés. Tout se passe comme si Wenders développait maintenant de façon explicite l'idée à laquelle la distribution des rôles de gangsters à des metteurs en scène dans l'*Ami américain* faisait allusion. Non seulement le projet initial de Ray — jouer le rôle d'un peintre atteint d'une maladie mortelle — fait maintenant l'effet d'être une réminiscence

1. *Voice,* le 3 octobre 1977.

du rôle qu'il occupait dans l'*Ami américain,* et les deux films commencent de manière significative par le même plan, mais plus déterminant est le fait qu'un grand metteur en scène ait voulu faire de sa propre mort, en collaborant à un film, une œuvre d'art radicale et extrême, et rendre, d'autre part, à la fiction − grâce à l'authenticité de sa propre mort − la dignité et la véracité qu'elle avait perdues en montrant avec légèreté tant de morts fictives.

Ce n'est il est vrai qu'un aspect du film, qui devait être, dès le début, une réflexion sur le travail et le métier du cinéaste. L'œuvre personnelle de Ray, constamment présente à l'arrière-plan et dont on voit directement cités des extraits significatifs des films les *Indomptables* et *We can't go home again,* fait soudain revenir à la surface un thème qui semblait déjà être une question réglée : la patrie. Ce n'est pas seulement que Wenders montre la séquence des *Indomptables* où l'on voit Mitchum revenir dans la ferme abandonnée de ses parents et chercher ses vieilles revues de bandes dessinées (Wenders montre ainsi que le motif correspondant dans *Au fil du temps* est une citation), il laisse surtout Ray donner, au cours de la conférence, au collège, la formule où se résume le thème du film : « *This film is not a western. This film is really a film about people who want to own a home of their own.* »

Fatigués de leur agitation sans but, les nomades de l'ère de la technique désirent, à un moment ou à un autre, revenir chez eux, mais ils ne peuvent plus réaliser leur rêve. Les pionniers, qui ont, dans le western, repoussé toujours plus loin les frontières de la prétendue civilisation, ne trouvent plus de lieu où ils pourraient se reposer, et ce n'est pas seulement qu'ils n'en ont pas les moyens financiers. Et le titre du dernier film, inachevé, de Ray, dit, de façon programmatique, la fin du rêve : *We can't go home again.*

Il est vrai que les sentiments ne se soumettent pas toujours à cette exploration de l'inéluctable. Au moment de mourir, Ray aimerait rassembler encore une fois autour de lui sa famille dispersée. Comme James Cagney dans *A l'ombre des potences,* il essaie − en vain − d'accaparer Wenders comme si celui-ci était son fils. Sur son lit de mort, il joue encore avec Ronee Blakley, l'ancienne femme de Wenders, une scène du *Lear* de Shakespeare. Mais l'illusion de la patrie et de la famille ne peut se maintenir dans la réalité, malgré l'amitié la plus étroite. Ainsi *Lightning over water* finit comme devait finir le film que Nick n'a pas pu achever à cause de la maladie : une jonque chinoise emporte symboliquement l'urne funéraire de l'artiste au-delà des mers, image qui correspond analogiquement à un proverbe américain qui équivaut à peu près à l'expression employée en Europe : « Il a traversé le Jourdain [1]. »

La dernière image est encore l'image d'un voyage sans fin. La seule différence est qu'avec la mort une frontière est franchie dont plus rien au fond ne se laisse représenter. « Ça ne peut plus passer par un projecteur » dit l'aide infatigable de Ray, à un moment, dans le film. Et sur la jonque une caméra non fixée tourne sur elle-même, et autour d'elle flottent des bandes inutilisables de pellicules exposées à la lumière du soleil. Cette lumière, ce *« lightning over water »* qui ne brille plus dans l'enfance d'aucun de ceux qui sont rassemblés sur la jonque : *we can't go home again.*

Le chemin est barré, qui mène à la patrie au sens fort du mot. Il ne peut y avoir de retour vers les lieux mythiques de l'enfance, sinon sous la forme d'une réminiscence mélancolique. Les personnages de Wenders sont de ce fait poussés droit devant eux – et à vrai dire plus loin qu'ils ne le voudraient en réalité. Une croyance assez mal définie au progrès les a depuis toujours poussés dans des situations incertaines ; mais désormais il semble qu'ils aient définitivement parcouru tous les trajets, sans que se soit révélé ne serait-ce qu'un point d'ancrage où leur espoir aurait pu s'assujettir.

Dans les dernières semaines de sa vie, Nick Ray a encore mis en scène une pièce de théâtre, un drame adapté du *Rapport pour une académie,* de Kafka ; ça a pu être plus ou moins l'effet du hasard – et à plus forte raison, que ce fût cette œuvre en prose dans laquelle un être vivant maltraité s'aliène, par besoin d'aller de l'avant, la communauté qui est la sienne à l'origine sans réussir à franchir le pas qui le sépare de l'autre société. Ray a fait de la parabole de Kafka une tragi-comédie de l'échec : plus le singe veut se conduire en être humain, plus son comportement semble simiesque aux humains. Il se peut donc que cela ait été l'effet du hasard. Mais ce n'est pas un hasard si Wenders montre très en détail les répétitions de la pièce dans *Lightning over water*, bien qu'elles fassent d'abord plutôt l'effet d'un gigantesque corps étranger. Mais Wenders a toujours fait preuve de sa plus grande créativité et de sa plus grande facilité d'invention quand il s'est agi d'intégrer dans ses projets et ses plans ce qui venait du hasard, de

---

1. *Einer geht über den Jordan,* expression allemande d'origine piétiste, signifiant : il est mort, quelqu'un est mort.

manière imprévisible, de telle sorte qu'on a l'impression que c'était justement le but qu'il voulait atteindre.

Si l'on y regarde encore une fois, en effet, ce *Rapport pour une académie* apparaît presque à l'évidence comme une parabole amère et sarcastique sur la propre situation de Wenders à ce stade de sa carrière. *Hammett* est au point mort ; il rêvait de devenir un metteur en scène américain, mais le chemin est parsemé d'embûches ; Wenders est poussé à faire de nouveau un film à l'européenne, il est renvoyé à sa première manière. En outre, il a constamment devant lui quelqu'un qui a échoué à Hollywood, qui est devenu l'image de cet échec, en la personne de Ray qui ne s'est pas plié aux conventions de la métropole du cinéma et a été congédié pour cette raison.

Le *loft* de Ray à New York, enfin, est aussi l'enveloppe extérieure qui correspond typiquement à sa constitution interne : un gîte relativement impersonnel, où, de manière significative, s'interpénètrent l'espace d'habitation et l'espace de travail, et l'on a, d'un autre côté, à voir Ray s'affairer pour mener à terme une œuvre comme *We can't go home again,* qu'il semble si peu possible d'achever, l'impression parallèle d'une course contre la mort entre l'art et la vie. On peut imaginer sans risque d'erreur que le voyage de Bruno pourrait finir ici : un moment d'inertie apparente au milieu de l'agitation d'une métropole mais que combat intérieurement un désir que l'on peut d'autant moins satisfaire. Car c'est en tant que tel que le monstrueux effort de Ray pour dépasser sa mort physique en en faisant, par une sorte d'exploit spirituel, une œuvre d'art, impose le respect.

Après que l'espoir du retour a fait naufrage, l'art prend manifestement de plus en plus chez Wenders la valeur d'un refuge. Ça ne veut pas dire que l'art vaut mieux que la vie, mais au contraire que l'art est le moyen de préserver l'idée d'une vie meilleure, une idée que la vie réelle a chassée depuis longtemps. En ce sens l'art est un refuge pour Ray lorsqu'il fait face à l'abandon de sa propre famille en jouant *Lear,* et pour Hammett lorsqu'il s'efforce de s'arracher à la vie sordide d'un détective de l'agence Pinkerton pour décrire cette vie à travers le roman.

Il s'agit sans aucun doute d'essayer d'échapper à l'abjection du quotidien, sans pour autant en nier l'existence par le mensonge. Mais le monde exige de l'art un tribut, parce qu'il n'est pas possible de tenir des histoires vivantes sans connaître la vie. Sam Hammett, à l'orée de sa carrière de romancier, avait jusqu'alors exploité l'expérience et les expériences de son ancien associé Ryan pour écrire de courtes nouvelles principalement destinées à des revues. Ryan lui demande son aide pour une affaire qui l'a conduit à San Francisco – une ville qu'il ne connaît pas, mais où Hammett est chez lui.

Voici ce que la patrie est devenue : un endroit envers lequel vous avez perdu toute confiance mais qui exige maintenant, de façon tout à fait malvenue, que vous le connaissiez à fond. Le scénario de *Hammett,* dont on ne sait à quel point il correspond réellement aux intentions de Wenders – mais je suppose qu'au départ c'est précisément ce thème qui a intéressé Wenders dans cette histoire – consacre beaucoup de temps à approfondir, souvent avec une désinvolture ironique, les connaissances de Hammett sur le quotidien douteux de « sa » ville. Seule cette connaissance permet à l'écrivain redevenu détective, amateur cette fois, de dévoiler l'enchevêtrement des liens occultes qui font apparaître, à plus forte raison maintenant, la ville natale comme une fange de corruption et d'intrigues. A la fin de l'histoire, Hammett s'asseoit avec un profond soulagement devant sa machine à écrire pour écrire son histoire et se hisser hors de la fange au moyen de l'art.

*Hammett.*

C'est là à vrai dire une conclusion mensongère, exigée par la convention hollywoodienne, selon laquelle il faut qu'une histoire ait une fin : Ryan est mort et Hammett tient son histoire, qui doit elle aussi finir par une mort. Wenders a dû se plier à cette façon de raconter une histoire ; il n'a pu lui opposer qu'une résistance souterraine en développant à l'arrière-plan une réflexion sur ce type de cinéma. Cela est naturellement développé d'une manière plus directe et beaucoup plus personnelle (puisque sans la contrainte du studio) dans l'*Etat des choses*. Cette somme, la deuxième dans l'œuvre de Wenders, qui semble superficiellement tirer la conclusion des démoralisantes expériences hollywoodiennes, montre de la façon la plus claire que la réflexion du cinéma sur lui-même en tant que média est beaucoup plus chez Wenders qu'un miroir où il peut se contempler avec coquetterie ou en larmoyant à travers son propre travail. Ce à quoi cette réflexion renvoie avant tout, c'est à l'inextricable interpénétration de tous les domaines.

L'*Etat des choses*, encore que la division en trois parties y soit vraiment réalisée avec beaucoup de désinvolture, est construit

L'*Etat des choses*.

selon la classique règle de trois de la dialectique : thèse, antithèse, synthèse. Le film commence, avec la séquence du film-dans-le-film, comme un pseudo-film de science-fiction, où, d'une manière très significative, des hommes sont à la recherche d'un gîte. Mark, le chef autoritaire de ce petit groupe d'hommes qui survivent dans un monde totalement détruit, ne les fait jamais espérer : *« We've got to keep going. »* Mais Anna console sa fille Julia, qui a peur : *« We'll find a place to stay. »* Et c'est cette enfant qui découvre finalement l'hôtel détruit au bord de la mer : *« Now, we've got a place to stay. »*

Voilà pour la « fiction » dans un film de science-fiction où la terre tout entière est inhabitable. Ce serait quasiment la thèse, inventée et débordante d'utopie négative : la patrie est anéantie, mais il existe encore (dans l'art) des lieux *(Schauplätze)* où trouver un gîte.

Alors commence ce qui dans une certaine mesure est la partie documentaire de l'*Etat des choses*. L'équipe de tournage n'a plus d'argent ni de pellicule. Fini de jouer, la vie commence et l'on attend, avec plus ou moins d'apathie, que le travail puisse recommencer. Les artistes deviennent des hommes, à qui nul scénario ne prescrit ce qu'ils doivent faire et qui sont renvoyés à leurs propres petites singularités pour occuper leur temps. La vie se réduit à une simple collection d'instantanés. Walter Benjamin avait appelé la dialectique en état d'inertie *(Dialektik im Stillstand)* la réduction du mouvement de l'histoire à une image. Fritz, le metteur en scène d'origine allemande dans cette équipe internationale, à qui Wenders a manifestement donné des traits autobiographiques, n'y voit, en tant que praticien, qu'une situation irréelle : *« This all is fiction. »* Mais en tant qu'artiste qui raconte des histoires, il y voit, et il est en ceci plus réaliste − aussi le contraire de l'art − la vie justement : *« Life goes by in the course of time without the need to turn out stories or to turn into stories. »* L'art seul raconte des histoires cohérentes, pas la vie. La réplique est claire : *« Life without stories, it isn't worth living. »*

Voilà pour la réalité dans un « film qui est presque un documentaire sur une situation fictive ». Ce serait, en second lieu, l'antithèse quasiment trouvée et portée par un timide espoir qui pousse les personnages à résister : nous sommes condamnés à l'inaction, mais l'art existe, qui remet la vie en marche.

Alors Fritz s'envole vers Hollywood, pour voir Gordon, son producteur, et dénicher de l'argent pour que le tournage du film puisse reprendre et que la « vie » puisse continuer pour l'équipe.

Mais Gordon est lui-même en fuite pour échapper à ceux qui lui ont donné de l'argent ; ils sont furieux parce qu'il laisse un Européen faire de l'art au lieu d'exiger de lui un film commercial. Une querelle s'engage entre Gordon et Fritz, dont l'issue viendra finalement − presque fatalement − de l'extérieur et qui est comme un commentaire sarcastique de leur querelle théorique. L'histoire est au film, dit Gordon, ce que les murs sont à un bâtiment. *« Cinema is not about life going by. »* Si une histoire extérieure entre dans le film, réplique Fritz, la vie lui échappe : « Toutes les histoires parlent de la mort », sont des « messagères de la mort ». La fin de l'histoire lui donne raison. Gordon et Friedrich, le Juif de Newark et l'Allemand du Château Marmont[1], sont morts, rattrapés par le faux mouvement du cinéma américain qui se vante d'être la vie même.

Voilà pour l'expérience hollywoodienne de Wenders ; Hollywood, son ancien rêve, s'est révélé un enfer. Et il a donné à ce film pour épigraphe la première strophe de l'*Enfer,* dans la *Divine comédie,* de Dante qu'il a traduite d'une manière assez personnelle : « Au milieu du chemin de la vie, je me suis retrouvé dans une forêt obscure et le droit chemin était perdu. » Ce serait, enfin, la synthèse imposée, longtemps refusée et irréfutable : il fallait que l'art ait quelque chose à voir avec la vie, mais l'art a été rattrapé par la vie − de la mauvaise manière. De même que, dans la vie, il n'y a plus de patrie, il n'y a plus, dans l'art, de réconciliation. L'aliénation, totale, distingue aussi l'art de la vie.

La patrie n'est plus le lieu mythique de l'enfance auquel il n'est plus possible de revenir. Mais la promesse de ce que pourrait être la patrie continue pourtant d'entretenir le désir qui nous pousse vers elle. Et si la patrie a fait naufrage, il nous reste du moins l'espace de la quête qui nous pousse inébranlablement vers elle. Dans *la Prisonnière du désert,* comme on le sait, John Wayne ne cesse de répéter : « Le jour viendra. » Comme un leitmotiv *l'Etat des choses* évoque constamment le souvenir du livre et du film[2] ; comme une exhortation à ne pas se résigner à l'inertie. John Wayne ne se résigne pas ; têtu, il s'obstine à rechercher sa nièce, bien qu'il sache qu'enlevée depuis si longtemps par les Indiens, elle est elle-même devenue une Indienne, une étrangère. Et de fait il retrouve la fillette qui est depuis longtemps devenue une jeune

---

1. Le Château Marmont est un hôtel d'Hollywood.
2. Le livre est celui d'Alan Le May, *The Searchers,* que Friedrich prête à Anna dans l'*Etat des choses* et dont Ford a tiré le film du même nom (distribué en France sous le titre la *Prisonnière du désert*). (N.D.T.)

*Lightning over water* (en bas).

femme. Il la ramène au sein de la famille et tout pourrait être pour le mieux − s'il n'y avait pas eu ces années de recherche, avec leur cortège de souffrances, de blessures, de cruautés. John Wayne quitte la famille, pour laquelle il a sacrifié des années de sa vie. La porte de la maison forme, dans le film de Ford, le cadre de l'image où l'on voit John Wayne disparaître dans le crépuscule. Il pourrait dire ce que Fritz dit au téléphone dans l'*Etat des choses* − et qui prend d'autant plus de relief qu'il semble le dire à brûle-pourpoint : « *I'm at home nowhere − in no house, in no country* ». Cette phrase est, elle aussi, une citation. Elle est de Friedrich Wilhelm Murnau.

Il semblera peut-être un peu curieux que nous établissions un rapport entre l'oncle Ethan du film de Ford et l'image wendersienne de l'artiste véritable. Mais on ne peut manquer de voir que le mouvement qui les porte est le même. Comme la vie, l'art a pris le caractère figé du mythe, cet ensemble de liens de culpabilité − et à la fin, le paiement des créances est impitoyablement exigé. Car le mythe est un système de crédit, dans lequel chaque élément est redevable de quelque chose à l'autre [1]. C'est de ce fait un système statique qui doit, à un moment ou à un autre, s'effondrer sous son propre poids en ensevelissant sous lui tout le reste, c'est-à-dire la vie, et avant tout l'espoir d'une vie meilleure.

Mais l'idée que Wenders se fait du cinéma et de l'art et de la vie est elle, une idée dynamique. C'est pourquoi il ne croit pas aux histoires solidement assises qui seraient comme les murs d'une maison, mais à « l'espace entre les personnages », selon l'expression de Fritz dans l'*Etat des choses*. Dans un espace, on peut bouger et on peut promener son regard, pour chercher une issue. Un tel espace, où toutes les routes du monde trouveraient place, serait le lieu où Wenders pourrait se sentir chez lui. Afin de trouver ce lieu, Wenders se met en chemin, à chaque film de nouveau − malgré tous les revers. Mais sur ce chemin, il n'y a pas de panneau indicateur. C'est pourquoi, à chaque film, il laisse quelque chose de nouveau se produire, afin de trouver du nouveau. Il est vrai que ce furent, jusqu'alors, plutôt des désillusions, mais peu importe. Ce qui importe, c'est que l'on ne renonce pas à la quête de la patrie réelle, qui est située dans le lointain avenir. Et la croyance inébranlable dans le fait que le jour viendra, même si toutes les expériences montrent le contraire, donne son mouvement réel au cinéma de Wim Wenders.

1. Voir Roland Barthes, *Mythologies,* Paris, le Seuil, 1957.

**Chapitre 3**

**L'énergie de la vie**

La difficulté, pour celui qui veut interpréter les films de Wenders, tient à ce qu'à première vue ils semblent rendre l'interprétation superflue. Tout y tombe sous le sens. Chacune des motivations, des humeurs. des raisons d'agir des personnages apparaît de façon si flagrante que le moindre philistin le remarque. Même lorsque les personnages se révoltent contre l'état du monde, ils feignent en même temps, de manière crispante, d'être en bons termes avec eux-mêmes, d'être contents d'eux-mêmes. L'impression qui se dégage des films dans leur ensemble se suffit presque à elle-même : ce qu'ils montrent les explique. Il semble que rien ne veuille paraître plus qu'il n'est. Si Wenders tient Ozu en haute estime, c'est en tout premier lieu parce que celui-ci se refuse à ajouter une explication à ce qui se passe. « Ozu a été le seul cinéaste dont j'ai appris quelque chose ; parce que sa manière de raconter des histoires s'appuyait exclusivement sur la représentation. » [1]

De tels propos, et naturellement un tel mode de représentation, révèlent une attitude que l'on pourrait définir comme un désir de maintenir ce qui est représenté dans sa dignité et dans sa valeur propre et de ne pas l'utiliser de façon purement fonctionnelle, pour renvoyer à autre chose, serait-ce même une signification prétendument plus élevée. « Ce qui rend l'art cinématographique possible et lui donne son sens, c'est que chaque être y apparaît tel qu'il est. » De cette réflexion de Béla Balázs, Wenders a dit qu'elle était l'une des rares formules théoriques avec lesquelles il était totalement d'accord.

Pourtant le respect de Wenders pour le pur phénomène de ce qui apparaît dans le film, ou tout simplement pour ce qui est, ne

---

1. Dawson, *ibid.,* p. 10.

signifie pas qu'il n'y aurait aucun rapport entre les différents phénomènes. Wenders a certes totalement renoncé à présenter ces rapports dans une perspective psychologique et à leur donner consciemment le caractère d'une évidence, et il y a là un acte de confiance énorme en ses facultés artistiques. Mais cela ne signifie en aucune manière que Wenders a renoncé à établir très consciemment entre les phénomènes des rapports et des liens qui, seuls, font véritablement de la représentation de ce qui est une œuvre d'art douée de sens. La véritable conséquence – proprement insidieuse – de la pensée visuelle de Wenders est, au contraire, que plus les rapports entre les phénomènes sont dissimulés et secrets, plus certains motifs et certaines choses paraissent flagrants. L'absence même d'explications présuppose une haute conscience de l'ensemble des relations. Car ces relations ne prennent pas chez Wenders la forme d'un réseau, comme on en a l'habitude, mais plutôt d'un ensemble de bouées dont les mouvements à la surface de l'eau sont apparemment sans rapports entre eux, mais qui sont assujetties au même cadre amarré, à grande profondeur, au fond de la mer.

Tout spectateur le remarque : les personnages de Wenders sont constamment en mouvement et utilisent avec un véritable esprit de système les moyens de transport les plus divers, ils aiment la musique *rock* et ils ont un rapport particulier avec le cinéma et tout ce qui touche au cinéma. Bien sûr, si l'auteur Wenders se limitait à de tels éléments, Herbert Achternbusch aurait alors eu vraiment raison de remarquer méchamment que Wenders aimerait peut-être mieux jouer au train électrique que faire des films.

Mais Wenders est en fait celui des cinéastes allemands qui a développé avec la plus grande logique son propre système, dont tous les éléments sont liés – thématiquement et stylistiquement – par un rapport caractéristique. On reconnaît l'existence de cette relation fondamentale, malgré les liens cachés qui unissent toutes les raisons et manières d'agir des personnages, en tout premier lieu au fait que, si un élément se modifie, tous les éléments se modifient.

Et cela prouve, en retour, que Wenders n'a pas construit un système abstrait et statique – auquel devraient ensuite se soumettre les sujets de chacun des films – mais un système qui se modifie, à la lettre, au fil du temps et prend en compte – de manière dynamique – la dynamique de la vie. C'est cette dynamique qui fonde, avant tout, chez Wenders, la nécessité de l'interprétation.

Comme toujours, chez Wenders, un lien presque indissoluble unit la surface et la profondeur, le plus apparent et le plus caché. Cette dynamique est, en effet, le véritable centre névralgique des films auxquels elle donne ce caractère d'irrésistible progression (et où se loge aussi toujours une invocation fervente au progrès), mais cela ne saute immédiatement aux yeux de chaque spectateur qu'à cause des mouvements que les films montrent sans cesse − peu importe qu'il s'agisse d'une fuite, d'une recherche de sa propre identité ou d'un voyage pour raisons professionnelles. Il n'est fondamentalement pas possible de distinguer soigneusement les différentes formes du voyage, parce que toutes les raisons possibles en sont étroitement mêlées les unes aux autres.

Mais, en fin de compte, il importe pourtant de distinguer les raisons et les points de départ des différents voyages, car le voyage n'est pas une fin en soi − même si les films de Wenders en donnent parfois l'impression. Le voyage est toujours chez lui une conséquence, et le plus souvent même, conséquence d'une conséquence. Quelle que soit l'admiration qu'on puisse porter, comme *cinéma pur* \*, à ces films, leurs mouvements − intérieurs (que la caméra réalise) ou extérieurs (que la caméra ne fait qu'enregistrer) − ramènent aux origines du cinéma et on ne saisit le meilleur de ces films qu'en ignorant les impulsions intérieures et extérieures qui mettent psychologiquement et physiquement les personnages en mouvement. Car Wenders, dont les films ne laissent pas entendre une parole politique, est au plus profond de lui même un moraliste politique − c'est sans doute beaucoup moins flagrant que chez Fassbinder, mais il l'est, avec la réserve qui lui est coutumière, peut-être même plus rigoureusement que celui-ci, parce que la morale a chez lui, beaucoup plus que chez d'autres cinéastes, quelque chose à voir avec la forme esthétique.

En conséquence, il est très exigeant avec les films, et particulièrement avec les siens. *Au fil du temps* tourne principalement autour de cet aspect. Et dans le dossier de presse de l'*Ami américain*, Wenders a ainsi formulé ce qu'il lui importe de faire quand il fait des films : « Chaque film est politique. Mais le sont le plus ceux qui ne veulent pas être des films politiques : les "films de divertissement". Ils sont les films les plus politiques précisément

---

(\*) En français dans le texte. (N.D.T.)

en ce qu'ils chassent de la tête des hommes l'idée d'un changement. Leur message répété à chaque plan est que "tout est bien ainsi". Ils sont uniquement une publicité pour la situation existante. Je crois que l'*Ami américain* n'est pas tombé dans ce travers. Bien sûr, c'est un "film de divertissement", et il est captivant. Mais il ne renforce pas ce qui existe. Au contraire, tout peut changer, tout est ouvert, tout est menacé. Le film n'a pas un contenu politique explicite. Mais il ne rend pas bête. Il ne fait pas des pantins de ses personnages, ni, par conséquent, des spectateurs. Trop de films "politiques" agissent malheureusement ainsi [1]. » Philip Winter tient un discours semblable sur la télévision américaine, après qu'il a, avec un peu de pathos, renversé et cassé le téléviseur dans le motel.

L'idée que le monde peut changer, invoquée ici par Wenders comme un credo esthético-politique, anime ses films depuis toujours. Le premier des courts-métrages de Wenders que nous ayons conservé, *Same player shoots again,* tourné en 1967, fait varier, par modification des couleurs, en une analyse formelle expérimentale, une séquence apparemment toujours identique. Le titre renvoie à la phrase par laquelle on annonce sur les anciens *flippers* une partie gratuite : la même situation de départ, qui produit des événements toujours différents. Le même plan nous est montré six fois de suite : un homme, visiblement atteint par une balle, titube sur le trottoir, une arme à la main, ayant, du début à la fin, de plus en plus de mal à se tenir debout. Mais peu avant qu'il ne s'effondre, le film recommence de nouveau, à ceci près que la pellicule noir et blanc est colorée à chaque fois différemment.

*Same player shoots again,* ce film, aride et abstrait, se compose d'un petit nombre d'éléments de base, très typiques, que le caractère de l'expérimentation formelle permet d'observer : le rapport, à travers le titre, au jeu de *flipper* ; la musique de *Mood Music* renvoie au rapport, très fort, de Wenders au *Blues* et au *Rock* ; enfin l'arme que porte Hans Zischler et sa manière de tituber à travers l'image établissent une relation − très vague il est vrai − avec le cinéma − de même qu'en allemand le verbe « *schiessen* » possède à la fois le sens de « tirer » ou de « descendre » quelqu'un et de « mitrailler » (avec un appareil de photo ou une caméra) − et Philip Winter mettra encore une fois

1. Dossier de presse de l'*Ami américain,* Filmverlag der Autoren, Munich, 1977.

l'accent sur ce fait, de façon un peu larmoyante, au cours de son voyage à travers une sinistre région de l'Amérique dans *Alice*.

Jouer au *flipper*, écouter de la musique, aller au cinéma : c'étaient, au début du mouvement antiautoritaire, les loisirs favoris d'une jeunesse qui s'insurgeait très consciemment contre la conception conventionnelle de l'art. Les revues de B.D. qui, plus tard, dans *Polizeifilm*, contrecarrent les méthodes de la direction de la police de Munich, en font également partie. Il est tout à fait caractéristique de Wenders qu'il commence dans une certaine mesure son travail de cinéaste en se donnant le plaisir de donner à ses personnages une configuration où il a fait entrer ses propres goûts, qu'ensuite il introduira de même dans la définition des personnages moins schématiques des films suivants. C'est une sorte d'expérience de seconde main qui se dissimule en fin de compte dans un tel processus, et une telle expérience définit bien le caractère contemplatif des premiers films. En exagérant un peu, on pourrait y voir les films d'un consommateur qui s'efforce, à travers sa propre configuration, d'abandonner le rôle uniquement passif de spectateur et d'auditeur.

Dans *Trois Trente-Trois Tours américains,* Wenders rêve de faire un film composé uniquement de plans généraux, qui sont à la fois immobiles et compliqués. Il faut interpréter, ici, le désir inexprimé de toujours tout mettre sous les yeux des spectateurs de leur donner le temps − et finalement aussi la liberté − de se perdre dans les détails qui leur font plaisir et satisfont à leurs intérêts. Le premier Wenders est dominé par une peur véritablement panique devant tout ce qui est morcelé, apprêté, préfabriqué. Le rêve presque idéaliste d'une totalité dans laquelle on puisse se mouvoir sans empêchement et qui, seule, selon Hegel est la vérité, caractérise les premiers films, tous ceux du moins qui n'auront pas encore eu à tenir compte des habitudes du commerce. La plupart des séquences de *Summer in the city* durent exactement aussi longtemps que le morceau des Kinks qui les accompagne − c'est à ce groupe que le film est dédié. Rien ne doit donner l'impression d'avoir été coupé ni de placer devant le spectateur la frontière d'une coupure arbitraire au-delà de laquelle il ne puisse plus continuer d'écouter, de voir, de rêver.

Wenders met tout à fait imperceptiblement le spectateur dans la situation de Hans qui, coupé de la réalité par sa peine de prison pendant un an, cherche maintenant à revenir au point où son expérience du monde a été interrompue. Hans s'immerge alors dans le monde des *juke-box* et des *flippers*, des romans policiers de

*Polizeifilm*                              *Summer in the city*

Chase et des vieux films en noir et blanc. Les personnages de Wenders – et ils sont en cela un reflet fidèle de la génération d'après-guerre qui a grandi avec l'A.F.N. [1], les quarante-cinq tours et les séries B américaines – sont enfoncés dans un monde parallèle constitué par les médias dont les produits sont disponibles à tout moment et répétables à l'infini. Sans s'en rendre compte ils se créent ainsi une seconde nature et ils croient tenir leur véritable identité alors qu'ils ne tiennent que l'aura de cette seconde nature. Mais ils sont fondamentalement, depuis toujours,

---

1. American Forces Network, station de radio des forces armées américaines stationnées hors des Etats-Unis. (N.D.T.)

*Alice dans les villes*                    *Alabama*

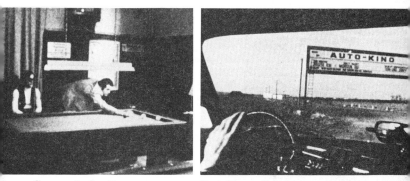

*Summer in the city*  *Trois Trente-Trois Tours américains*

victimes du monde de la marchandise qui s'y entend à distiller le rêve d'un monde parallèle utopique pour maintenir sous sa coupe même les consommateurs réticents.

Ce ne sont pas seulement les personnages de Wenders, mais sans aucun doute Wenders lui-même, que fascine ce monde du rêve. Il a, en faisant allusion à une chanson du « Velvet Underground », remarqué, dans l'interview de Jan Dawson, que sa vie aussi *« was saved by rock'n'roll »*, parce que cette musique lui avait donné, comme à beaucoup de gens de sa génération, le premier sentiment de son identité, « l'idée que j'avais le droit d'aimer quelque chose » ; c'était le premier pas vers l'imagination,

*Au fil du temps*  *Silver City*

99

la créativité et le plaisir de faire quelque chose : « Sans le rock'n'roll, je serais peut-être juriste maintenant... » [1]

Contrairement à d'autres, Wenders a explicitement distingué cette musique de l'impérialisme de la culture américaine. Il a raison, au moins dans la mesure où la musique *rock* est la première musique qui procède de l'expérience et des besoins de cette classe d'âge. C'est là que réside vraisemblablement le principal attrait de la musique *rock* sur les jeunes, qui n'a vraiment rien à voir avec la musique, et encore moins avec la qualité de la musique : elle est pour eux un moyen de s'exprimer et d'être compris par les gens de leur âge ; de développer leur créativité sans être obligés de faire carrière dans le petit monde de la culture établie.

La musique *rock* est pour Wenders un métalangage qui assure la compréhension quand le langage des mots ne remplit pas son rôle ; et il ne le remplit pas souvent, parce qu'ils est toujours à la traîne de la réalité, et surtout de la réalité des sentiments. Comme si Wenders n'avait aucune confiance dans la langue ordinaire, la voix *off* d'un narrateur reprend, au discours indirect, toutes les phrases que prononce Hans [2]. Il n'y a d'assez longs monologues qu'à deux endroits, et chacun d'eux est d'une importance capitale. A peine Hans a-t-il échappé à son « ami » et à la bande dont il faisait partie autrefois ; à peine a-t-il écouté, sur un *juke-box*, son premier disque et fait sa première partie de *flipper* qu'il rencontre une de ses anciennes connaissances, qui lui raconte, en long et en large, l'histoire de *Fils du désert,* de John Ford et qui l'emmène ensuite au cinéma. Et on entend alors, comme en commentaire, une phrase tirée d'*Alphaville,* de Godard : « c'est toujours pareil, on ne comprend jamais rien. Un jour, on finit par en mourir. »

Ensuite, dans une scène aussi éloignée de la fin que la séquence où l'on raconte le film de Ford l'est du début, Hans rapporte à son tour une histoire, celle d'un des premiers récits de Thomas Bernhard *der Briefträger,* qui fut réédité plus tard avec une conclusion différente sous le titre *der Kulterer.* Il y est question

---

1. Jan Dawson, *ibid.,* p. 11.

2. Wenders, ici, a il est vrai fait de nécessité vertu. La bande son originale était en effet si mauvaise qu'elle était à peine compréhensible. Wenders n'a pourtant pas postsynchronisé, mais demandé à Hanns Zischler de reprendre les dialogues au discours indirect et a plaqué ce récit en *off* sur la bande son originale.

d'un « homme simple » qui, en prison, couche sur le papier ses « pensées simples ». Il a couché sur le papier toutes les expériences qu'il a connues dans la vie solitaire de la prison. Hans appelle cela « le terrible bonheur qui lui fut accordé de pouvoir écrire toutes les nuits ».

Avant cette scène, on voit Hans réfléchir sur son propre séjour en prison, tandis que ses propos sont encore dédoublés par le commentaire en *off* au discours indirect : « Je disais, une année à Stadelheim, elle devrait pourtant savoir ce que c'est. On devrait raconter cette année qu'on a passée là. Un an pour raconter. Un an de prison, un an pour raconter. Cette histoire-là, on ne la connaît jamais que par des bribes. »

Cette phrase, par laquelle Hans souhaite retrouver pour lui-même cette adéquation absolue du temps du récit et du temps vécu, pourrait se comprendre comme revendication d'un réalisme minutieux à l'extrême. Cette revendication, ainsi comprise, joue sûrement son rôle dans l'effort jamais relâché de Wenders pour trouver un intermédiaire entre la fiction et le document. Mais l'essentiel est ailleurs : le rêve d'un film composé seulement de plans généraux, dont seule, selon Wenders, dans *Trois Trente-Trois Tours américains,* la musique *rock* et *country* proposait une réalisation, ce désir d'une réalité *totale* s'exprime désormais en termes de temps plutôt qu'en termes d'espace, par la durée du plan plutôt que par le cadrage. Car il se mêle au besoin de donner une image, une représentation de ce tout, une tentative pour franchir le pas décisif vers un « plus » que la réalité existante n'autorise pas encore.

L'élan incontestablement utopique qui se révèle dans ce geste formel contredit la naïveté supposée qu'il y a sans aucun doute à espérer saisir le tout. Adorno avait déjà, dans *Minima Moralia,* rejeté sans argumentation la phrase de Hegel : « le tout est le vrai » d'un laconique « le tout est le non-vrai » − précisément parce que la souffrance, que l'utopie doit abolir, appartient elle aussi au tout. [1] Et dans *Fin de partie,* de Beckett, Clov, moqueur, demande : « Y a-t-il des secteurs qui t'intéressent particulièrement... Ou rien que le tout ? » Chez Wendez aussi, il apparaît que ce « rien que le tout » ne suffit pas. Hans, qui rapporte l'histoire de Bernhard comme si c'était la sienne, finit avec une pirouette : « Je ne sais pas si je vais le lire jusqu'au bout... »

1. Th. W. Adorno, *Minima Moralia,* traduit de l'allemand par Eliane Kaufholz et Jean-René Ladmiral, Payot, Paris, 1983, p. 47.

Le tout, que Wenders invoque sans cesse, verbalement ou formellement, dans ses films, exige justement, de la façon la plus pressante, d'être surmonté. Car il y a un rêve dans le rêve formel du tout et ce rêve est éveillé en nous par la possibilité de tout voir, de tout entendre, par la latitude qui nous est donnée de nous abandonner à la contemplation. « Raconter toute l'affaire, la raconter jusqu'au bout. » C'est le point où « le tout » renvoie à quelque chose qui est au-delà de lui, où le regard statique porté sur la réalité se remet en mouvement, où les plans qui s'éternisent retrouvent leur dynamique à l'intérieur d'eux-mêmes.

Tous les personnages de Wenders ressentent plus ou moins consciemment un puissant désir d'écrire. Pour eux, qui ne sont capables d'aucune conversation, qui n'éprouvent même pas le désir de s'expliquer ou de se réconcilier avec d'autres par le moyen du dialogue, il n'y a qu'une manière de s'exprimer et de dépasser leur isolement : monologuer, raconter des histoires, oralement ou par écrit. En racontant des histoires, en voulant écrire, ils résistent à ce qu'on pourrait nommer, d'après la citation de Godard, la mort lente par manque de compréhension.

Il est difficile de dire quel rapport il y a entre tout cela et l'évolution personnelle de Wenders, et il est aussi le seul qui pourrait en donner confirmation. Toujours est-il que cela représente une évolution très cohérente. La musique *rock* et les séries B américaines (les « vieux films en noir et blanc » comme dit Hans), dans lesquels les personnages de Wenders retrouvent leurs émotions et leurs désirs et où les problèmes qui sont les leurs se trouvent posés, ont stimulé leur imagination et leur créativité en leur donnant le sentiment qu'ils peuvent être enfin compris. Cela s'exprime d'abord par un strict refus de la réalité sociale et se transforme peu à peu en un rêve très vague de ce que l'École de Francfort, dans son horreur des images, nomme le tout Autre.

Tout ceci est jusqu'à présent très banal et vaut bien entendu — à l'exception de l'effet libérateur de la musique et des films américains — pour toute génération parvenue au seuil de l'âge adulte. Que des jeunes gens regimbent contre le monde des pères, qu'ils le changent même réellement un peu mais qu'ils finissent quand même toujours par rentrer dans le rang — pérennisant et perpétuant ainsi la souffrance dont ils ont eux-mêmes souffert, voilà une expérience très ancienne dont l'expression artistique ne peut-être qu'une platitude pure et simple. Pour que cette expression puisse prétendre à une valeur autonome, il n'y a au fond que deux possibilités : il s'agit ou bien de décrire la situation actuelle (où naît la souffrance mais aussi par conséquent la volonté de résister à ce qui la provoque) avec tant de précision et d'évidence que l'espoir naisse de l'impact escompté de cette critique sociale réaliste, ou de reprendre les idées depuis longtemps usées et les développer selon sa propre logique pour que s'en dégagent de nouvelles perspectives.

Wenders suit la seconde voie avec cohérence. Ses personnages ne veulent pas rendre le monde meilleur. Le monde les fait souffrir, certes, mais ce n'est pas le monde, c'est eux-mêmes qu'ils veulent changer. Le rêve du tout Autre est le rêve de sa propre identité : devenir ce qui est encore enfoui en nous. Dans cette mesure, ce sont encore des avatars des deux concepts fondamentaux de la révolte des étudiants : le refus et la réalisation de soi. On pourrait appeler *énergie de la vie* ce qui permet à Wenders de donner vie à cette conception abstraite, de la mettre en mouvement et de développer à partir d'elle une œuvre nouvelle et personnelle.

Tous les personnages des films de Wenders veulent quelque chose. Mais comme ils ne savent au début que ce qu'ils *ne* veulent *pas*, ils cherchent toujours aussi en premier lieu à fuir quelque chose. Mais ils ont ce rêve. Et la réalisation de ce rêve commence avec la nécessité de rêver. C'est pourquoi il y a des récits de rêves dans presque tous les films de Wenders. Ainsi Wenders s'éloigne-t-il de ce qu'il nie, en le conservant cependant comme négation. Les récits de rêves – avant-courriers des récits que font les personnages de ce qu'ils ont vu et entendu – représentent la première manière, quasiment archaïque, de donner une expression à sa propre imagination. Le rêve devient ainsi une préfiguration de l'écriture, que tous les personnages de Wenders souhaitent ardemment maîtriser mais qui leur reste encore, à tous, interdite. Hammett serait le premier à écrire réellement quelque chose, mais son ami survient avant. Au lieu d'écrire son histoire jusqu'à la fin, il doit faire de nouveau ce à quoi il avait renoncé : un travail de détective.

Dans *Faux Mouvement,* le rêve se manifeste clairement comme la présupposition de la volonté d'écrire. Après la nuit que Wilhelm a passé avec Mignon dans la maison de l'industriel, dans le hall dont les fenêtres laissent voir le Rhin, les personnages racontent l'un après l'autre leurs rêves, autant qu'ils s'en souviennent. La séquence s'achève sur la chanson triste et absurde que Laertes interprète sur un air de ballade. La longue promenade dans le vignoble vient ensuite sans enchaînement, la conversation tourne uniquement autour de la possibilité de la poésie. Elle s'ouvre par ce dialogue entre Wilhelm et Laertes :

*Wilhelm :* Croyez-vous qu'il soit possible d'écrire, pour quelqu'un à qui tout ce qui est politique est devenu étranger ?

*Laertes :* Oui, s'il pouvait décrire comment cela lui est devenu étranger. Cette situation doit seulement ne pas apparaître comme naturelle.

*Wilhelm :* Il me faudrait alors raconter toute l'histoire de l'Occident.

*Laertes :* Bien sûr.

Toute l'histoire de l'Occident ! Un beau rêve — mais qui ne se trouve pourtant réalisé chez Wenders que de façon rudimentaire. De même que sa réflexion sur la patrie, l'aliénation et le voyage le ramène, lorsqu'il oppose nomadisme et sédentarité, aux origines de la civilisation, Wenders, en soulignant sans cesse le lien qui unit le rêve, la description, le récit, les notations aphoristiques et le désir de pouvoir écrire, écrit dans une certaine mesure aussi une histoire de l'art narratif qui retourne en arrière juqu'aux origines de l'imagination. Il faut tout de même reconnaître, en faisant cette constatation, que si Wenders fait certes constamment allusion à cela, il ne fait rien de plus que d'y faire allusion. Mais cette allusion constante est d'une grande importance, et elle devient vraiment excitante lorsque Wenders associe les deux réflexions qui mènent rétrospectivement aux origines de la poésie et de la civilisation.

Pour Hans, qui est encore ballotté entre son désir de renouer d'anciennes amitiés et sa crainte d'être à nouveau impliqué dans des choses anciennes — parler continuellement, jusqu'à la fin, de ce qu'il a vécu en prison, est le moyen plutôt vague d'opposer à la passivité de sa manière de réagir à la situation nouvelle le travail actif d'une mise en forme. Il s'y mêle sûrement aussi quelque chose de l'espoir un peu infantile que ce qu'il a vécu puisse avoir aussi de l'importance pour les autres. Mais c'est d'abord de lui qu'il s'agit. Ecrire, telle est l'allusion, est un acte de libération : montrer les articulations de l'expérience vécue pour en finir avec elle, pour la transformer.

Mais Hans ne trouve pas l'énergie nécessaire. Il lui faudrait d'abord trouver la force de faire face à ce qui est et à ce qui a été. Or il cherche à échapper à la bande à laquelle il appartenait, indiquant par là qu'il fuit son propre passé dont il cherche pourtant passionnément en même temps à évoquer le souvenir avec des disques, des livres, des films. « Le terrible bonheur... de pouvoir écrire » n'a pas encore pour lui la valeur d'un commandement, parce qu'il ne peut pas encore donner un ordre aux événements qui l'assaillent et en voir l'articulation. *« There's too much in my mind/and there's nothing I can say »* chantent les Kinks, lorsque Hans se laisse conduire sans but par un taxi pour vingt marks. Jonathan mettra le même disque dans l'*Ami américain* avant de décider s'il lui faut vraiment aller à Paris pour tuer quelqu'un, dans l'espoir — son dernier espoir — qu'il saura enfin à quoi s'en tenir sur l'état de sa maladie.

Bloch, déjà, est de ce point de vue d'un autre calibre que Hans même s'il traîne lui aussi son passé avec lui — il est toujours à la recherche de photos de son équipe de foot-ball et exhibe des pièces de monnaie américaines comme preuves de sa grande tournée là-bas. « J'ai envie d'aller en Amérique » dit Hans pour donner à sa fuite continuelle le déguisement d'une nécessité. Bloch y est déjà allé. C'est manifestement en bonne part ce qui le rend sûr de lui. Bien qu'il ait commis un meurtre, il ne donne jamais l'impression d'un homme traqué, en fuite. Même l'inquiétude qui le saisit dans la cuisine de Hertha, où il touche et renverse tout ce qu'il trouve, naît du sentiment pesant qu'il ne se passe rien plutôt que de la peur d'être pris. Et, de même qu'il répond aux reproches de Hertha en lui lisant dans le journal une blague éculée, il a toujours une anecdote appropriée à opposer aux événements — qu'il tire de films qu'il a vus ou qu'il a réellement vécue au cours de sa carrière de sportif.

Bloch cherche à combattre, au moyen de ses petites histoires, qu'il garde en réserve pour toute occasion, la banalité de sa vie, sur laquelle Wenders (et Handke) au contraire met l'accent pour éloigner l'action autant que possible du récit policier qui lui donne sa trame. Mais il se concentre aussi en elles un parfum de poésie — à vrai dire pas très agréable — qui donne à l'action son air de liberté. Car même si le voyage de Bloch le conduit, très logiquement, d'une capitale (Vienne) à une zone frontière perdue, les événements et les épisodes qui sont alors racontés sont volontairement interchangeables. On est constamment placé devant des situations tout aussi imprévisibles que l'était le meurtre totalement absurde de la caissière.

L'élan poétique qui se remarque chez Bloch est, bien sûr, une potentialité plutôt qu'une capacité réelle et consciente. D'une façon analogue Wenders a fait « le film de telle sorte que chaque situation ne serve pas à donner sa cohérence au film, ou une

*Alice dans les villes* (en haut à g.) — *Alice dans les villes* (en haut à dr.) —
*L'Etat des choses* (en bas).

image de ce genre mais qu'elle ait beaucoup plus d'importance. » [1] Dans la *Lettre écarlate* l'imagination occulte de la folle Hibbins fait jouer un élément de liberté ; mais son délire, même s'il est libéré de la morale contraignante du puritanisme, découle lui-même trop étroitement du manque de liberté, pour pouvoir apporter à Hester une possibilité réelle de libération. L'orgueil obstiné de Hester, que la responsabilité de son enfant attache plus solidement à la réalité que tous les autres personnages de Wenders, doit finalement reprendre le dessus, car elle ne peut, elle, céder à ce désengagement poétique du monde où Wenders laisse ses personnages s'abandonner librement. Mais l'absence d'imagination est retenue comme une preuve négative de la supériorité de la loi morale puritaine. Il ne peut y avoir aucun doute, personne n'ajoute foi à l'hypocrite sermon de Dimmesdale : « Il y a deux sortes de liberté : une liberté naturelle — et la nature signifie la corruption — et une liberté civile et morale. L'homme partage la première avec les animaux sauvages... cette liberté nous corrompt tous tant que nous sommes... elle est l'animal féroce, contre lequel est établi et disposé l'ordre divin, pour le tenir en bride. J'appelle la seconde liberté la liberté morale parce qu'elle repose sur le contrat qui lie les hommes à Dieu. Nous devons apporter à cette liberté la caution de tous nos biens, et de notre vie, si cela est nécessaire. »

Même si de semblables discours moraux n'ont pas particulièrement intéressé Wenders — et la mise en scène de ce sermon n'est pas particulièrement inspirée — ils se justifient dans son œuvre parce qu'ils représentent le contraire de ce qui importe aux yeux de Wenders et donnent l'exemple de ce qu'il veut rejeter. Toujours est-il qu'il est ici question, sans ambages, des limites qu'impose à chacun la possession de biens. La liberté ne commence jamais qu'au-delà de ces limites. Et c'est justement pourquoi Wenders fait partir en voyage ses personnages, qui veulent se trouver eux-mêmes en poursuivant leur rêve de l'Autre absolu et chercher leur identité dans l'imagination créatrice de l'écriture.

L'étroite connexion du voyage et de l'écriture devient évidente dans les films suivants, avec lesquels Wenders a pu enfin réaliser, dans les conditions du cinéma commercial, les sujets qui lui tenaient à cœur. Ce sont vraiment désormais, comme le nom de la société de production à laquelle Wenders participe, des *road movies*, des films de la route.

1. Heiko R. Blum, Entretien avec Wim Wenders, *Filmkritik* n° 216, février 1972, p. 57.

La relation directe du voyage et de l'écriture est déjà le point de départ de *Alice dans les villes*. Philip voyage à travers l'Amérique pour écrire sur ce pays un reportage destiné à un journal. Il apparaît clairement, déjà, que les deux ne vont pas ensemble. C'est précisément parce qu'il ne peut pas écrire qu'il poursuit son voyage au hasard, en espérant l'événement qui fera se cristalliser toutes ses expériences, de telle sorte qu'il puisse en donner une représentation. Et d'autre part, il ne s'engage dans l'aventure avec Alice que parce qu'il n'est pas venu à bout de son reportage ; parce qu'il a perdu, comme le lui dit son amie Edda, qui refuse qu'il passe la nuit chez elle, « la faculté d'entendre et de voir ». Son problème c'est qu'il ne peut fixer ce qu'il voit. Il photographie ce qui est autour de lui presque frénétiquement avec un Polaroïd − qui est pour Wenders l'équivalent, à l'âge de la technique, de ce que l'aquarelle était autrefois [1] − mais il se lamente en même temps, parce « qu'on n'y retrouve jamais ce qu'on a vu ». La réalité ne cesse d'échapper à la photo qui est restée sur place.

De même que la photo ne représente qu'un moment dans la chronique des événements courants, les expériences que vivent les voyageurs ne forment qu'une suite de détails isolés qui ne peuvent même pas donner une idée de l'expérience qui a été vécue, aussi longtemps que l'imagination de celui qui l'a vécue ne les a pas investis. C'est exactement le problème de Philip − et la raison pour laquelle il ne peut écrire. Bien sûr, « quand vous voyagez à travers l'Amérique, ça vous fait quelque chose », comme il dit au rédacteur du journal en lui annonçant qu'il a dépassé les délais, mais il n'arrive pas à trouver le lien réel entre ses expériences qui lui permettrait de libérer en lui l'énergie nécessaire pour écrire.

Wenders en explique la raison dans la conversation − inhabituellement prolixe chez lui − qui oppose Philip et Edda. Elle est non seulement la scène-clé *d'Alice dans les villes*, mais l'une des plus significatives de l'œuvre de Wenders dans son ensemble. Il a donné ici − comme toujours d'ailleurs, négativement − la formule de la force qui fait agir tous les personnages. Il faut pour cette raison lire en entier ce dialogue, qui est plutôt à vrai dire − c'est caractéristique − la réunion de deux monologues qui ne se croisent jamais, pour en saisir la logique et voir comment il se développe.

*Philip :* Je n'ai absolument pas voulu en démordre. Ça a été un voyage affreux. Dès qu'on a quitté New York, plus rien ne

---

1. J. Dawson, *ibid.*, p. 23.

change, tout présente le même aspect, au point qu'il n'est plus possible d'imaginer quoi que ce soit, surtout pas que quelque chose change. Je suis devenu étranger à moi-même. Je pouvais seulement encore imaginer que tout devait continuer ainsi. Parfois, le soir, j'avais la certitude que je rentrerais le lendemain. Et pourtant, j'ai continué mon voyage et j'écoutais les hâbleries de la radio, et le soir à l'hôtel — qui ressemblait exactement à celui du soir précédent — je regardais cette télévision inhumaine. Je ne sais plus où j'en suis [1].

*Edda :* Mais ça fait longtemps que tu ne sais plus. Il n'y a pas besoin de voyager à travers l'Amérique. On ne sait plus où on en est quand on perd le sentiment de soi-même. Et tu l'as perdu depuis longtemps. C'est pour cette raison que tu as toujours

La photographie a quelque chose à voir avec une preuve : *Hammett.*

---

1. C'est l'équivalent français de l'expression *mir ist das Hören und Sehen verloren,* qui signifie littéralement j'ai perdu la faculté de voir et d'entendre. Plus loin, il était difficile de ne pas traduire littéralement. (N.D.T.)

besoin de preuves. De te prouver que tu es réellement encore là. Tu tournes autour de tes histoires et de tes expériences comme si c'étaient des œufs frais ; comme si tu étais le seul qui vive des expériences. Et c'est pourquoi tu passes ton temps à faire des photos. Là tu as quelque chose en main : encore une preuve du fait que tu es celui qui a vu ça. C'est aussi pourquoi tu es venu ici, pour que quelqu'un t'écoute, et écoute tes histoires, qu'en fait tu ne fais que te raconter à toi-même. Mais ça ne suffit pas, – à la longue ça ne suffit pas, mon cher.

*Philip :* C'est vrai. La photographie a quelque chose à voir avec une preuve. Alors que j'attendais que la photo se développe, j'étais souvent pris d'une curieuse inquiétude. Je ne pouvais presque plus attendre le moment où je pourrais comparer l'image achevée et la réalité. Mais jamais cette comparaison n'atténuait mon inquiétude. Parce que ces images immobiles sont toujours laissées en arrière par la réalité, je n'ai plus rien fait d'autre que prendre des photos, comme un possédé. Je ne peux absolument plus imaginer d'autres photos que ces Polaroïd. *(Il a commencé de se déshabiller).*

*Edda :* *(alors que Philip parle encore)* Tu ne peux pas rester ici. Tu ne sais vraiment plus où tu en es. Je ne veux pas que tu restes.

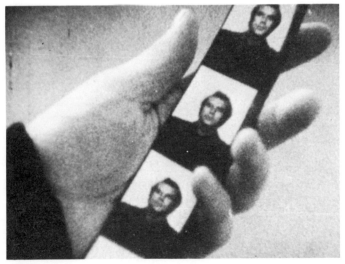

*Summer in the city.*

*Philip :* Quoi ? Tu dis ça sérieusement ?

*Edda :* Oui, mon ami. Je ne peux pas t'aider. Je voudrais pouvoir te consoler.

*Philip : (obstiné)* Mais je ne comprends pas.

*Edda :* Je ne sais pas non plus comment il faut vivre. Personne ne m'a montré.

La musique *rock* et le cinéma ont fait germer dans les personnages de Wenders le rêve d'une autre réalité. Ils emploient leur imagination à essayer de le réaliser : ils veulent écrire – mais ne le peuvent pas. « Si seulement je pouvais écrire », dit plus d'une fois Wilhelm, dans *Faux Mouvement*. Et comme ils ne peuvent pas écrire, ils partent en voyage pour voir l'Autre, afin de pouvoir ensuite écrire sur lui. Mais ils collent de trop près à la réalité pour que leur imagination leur permette de voir que les choses se transforment. Ils doivent alors se prouver à eux-mêmes que tout a la même apparence, et cela les rend étrangers à eux-mêmes – en apportant à leur rêve un démenti. (« *It's ruin in my brain, and ever be the same* » entend-on dans la chanson des Kinks déjà citée, « *Too much on my mind* »). Et lorsqu'ils le reconnaissent, leur inquiétude grandit, ils ne savent plus où ils en sont.

C'est précisément là l'important : voir et entendre, rêver, écrire,

*Alice dans les villes*

voyager − ces premières étapes sur le chemin qui mène à la découverte de soi-même, au « sentiment de soi-même », à sa propre identité, ne font que renvoyer à un but qui est au-delà d'elles, si on les considère comme des formes d'une vie qui doit encore trouver sa forme *(Gestalt)* « juste » et définitive. Car il ne peut y avoir de vraie vie dans un monde qui ne l'est pas, comme dit Adorno [1]. Et tous les personnages de Wenders souffrent de cet état de fait, cela les rend inquiets. Mais cette inquiétude, seule, à son tour, leur donne réellement la force de continuer à s'abandonner à leur rêve d'une vraie vie. Mais ils doivent pour cela réapprendre à voir et à entendre.

Philip Winter, dans son malheur insignifiant, a un bonheur immense. Il rencontre une enfant qui ne sait pas encore ce que c'est qu'être étranger à soi-même. Alice, cette petite peste, dont l'esprit n'est pas encore faussé, le contraint à regarder et à écouter de nouveau véritablement. Elle ne se laisse pas prendre aux plaisanteries éculées de Philip, ces plaisanteries par lesquelles les adultes font volontiers la démonstration de leur supériorité à l'égard des enfants ; lorsqu'à minuit juste il « éteint » les lumières de l'Empire State Building de New York, elle lui crie aussitôt : « Tu as triché. »

Elle amène Philip, qui poursuivait une idée abstraite de la réalité, pour traiter ensuite ses maigres expériences comme un bien précieux, comme des œufs frais justement, à renoncer à cette attitude se se confronter avec les réalités quotidiennes. Les petites choses soudain retrouvent leur importance, et les petites différences. Toutes les maisons de la Ruhr ont beau se ressembler, celle qu'il cherche est une maison particulière.

Avant déjà, à la péripétie du film, quand Philip ne sait absolument plus comment faire, puisque la mère d'Alice n'est pas arrivée à Amsterdam et qu'il se retrouve responsable d'un enfant qu'il ne connaît pas, Alice lui fait un présent, avec une générosité souveraine ; elle photographie le photographe possédé avec son propre appareil et donne laconiquement à son acte − qui n'est insignifiant qu'en apparence − une fantastique justification : « Pour que tu saches à quoi tu ressembles. » La photographie a décidément quelque chose à voir avec la preuve. Philip, qui s'était perdu lui-même, s'est retrouvé [2]. *« People takes pictures of each*

1. Adorno, *ibid.*, p. 36.
2. Jeu de mots intraduisible sur *abhanden kommen* : perdre, égarer quelque chose et *in der Hand haben* : avoir quelque chose en main ; ce que Philip Winter a à la main ici, c'est, bien sûr, sa photo. (N.D.T.)

*other* » chantent les Kinks dans une chanson qui porte ce titre, « *just to prove that they really existed* ». Hans déjà, absent du monde pendant un an, se fait photographier par un Photomaton avant de se présenter chez une ancienne amie pour passer la nuit chez elle.

Comme si Alice avait prononcé une formule magique, les personnages de Wenders s'éveillent, émergent d'un monde onirique et commencent réellement à exister. On a l'impression qu'une aura de facticité entoure tous ces personnages jusqu'à *Alice dans les villes*. Non que ces personnages auraient été des personnages factices, mais ils n'ont jamais non plus été vraiment des êtres vivants. Au fond, ils étaient plutôt des catalyseurs, un peu amorphes, dont les goûts et les expériences ont fourni à Wenders un prétexte pour construire, sur des lieux de tournage préexistants, un monde qui lui soit propre. On a noté déjà, à propos du gardien de but de Handke, cette « identité vide » au moyen de laquelle « un fantôme vide, interchangeable » conquiert son autonomie. Wenders a apporté une confirmation en ce sens en remarquant « que le personnage de Bloch et le caractère de Bloch seraient exactement ceux que composeraient à la fin du film les scènes que nous avons tournées. » [1]

Philip Winter est le premier qui, au contact de la tristesse du monde extérieur, prend conscience de son propre monde intérieur. Ce n'est plus seulement que quelque chose *lui* arrive, c'est qu'il se passe quelque chose *avec lui*. Il a beau ne plus savoir depuis longtemps où il en est, il n'avait pas besoin pour cela de voyager à travers l'Amérique, Edda le lui dit avec raison. Mais il avait besoin de voyager à travers l'Amérique pour s'en rendre compte de lui-même. Et il a eu besoin de rencontrer un enfant pour comprendre de nouveau ce qu'est une vie non aliénée.

Ainsi, encore une fois, Wenders revient à une origine : l'enfance, où il s'agit encore de faire l'expérience du monde et non de le comprendre en classant ce que l'expérience vous apprend, en faisant rentrer le monde aussitôt dans un ordre. Il n'est pas besoin de tomber non plus dans la logomachie heideggerienne pour comprendre le sens que prennent dans les films les nombreux parcours et cet emploi systématique de tous les moyens de transport possibles, de l'avion à la trottinette, comme expression visuelle de l'expérience [2], une expérience que l'on fait en

---

1. Heiko R. Blum, Entretien avec Wim Wenders, *ibid.*, pp. 69 *sq.*

2. Un autre jeu de mot, intraduisible, sur *Erfahrung* : l'expérience, et *Fahren*, aller, dès qu'on le fait en utilisant un moyen de transport. (N.D.T.)

voyageant. Il est alors remarquable, dans ce contexte, que Philip puisse faire de nouveau marcher son imagination pour inventer une histoire qui illustre ce thème — une histoire pour enfant. Il raconte à Alice, au moment de dormir, un conte qui reflète sa propre situation (et — ce n'est pas accessoire — la trame dramatique du film) : l'histoire du petit garçon qui s'est perdu parce qu'il suit tout ce qui bouge. La curiosité des enfants ne se voit pas encore interdire l'accès direct aux phénomènes. C'est pourquoi il leur est presque plus possible d'aider les adultes qu'à ceux-ci de les aider. Dans l'*Etat des choses* encore, les deux petites filles sont les seules à apporter un peu de vie à l'inertie et à la paralysie du monde des adultes.

Ces différents aperçus rétrospectifs ne sont bien sûr jamais chez Wenders un procédé dilatoire. Le désir d'un état perdu, dans lequel il aurait encore fait bon vivre, est interdit à tous ses personnages. Wenders, dont l'affinité tacite avec le romantisme est manifeste, entre autres — mais ça n'est pas le moins important — dans l'image de l'enfant, qui, d'après Novalis, devait proclamer le Royaume éternel, l'Age d'Or, a appris la leçon de l'histoire. Le regard craintif qu'il risque vers les débuts n'est pas porté par l'espoir de recommencer toute l'évolution, en faisant bien cette fois. Il s'agit au contraire seulement d'indiquer, par des allusions extrêmement discrètes, presque imperceptibles au début, que tout ce que raconte la caméra a une composante historique, sans qu'il soit pour autant nécessaire de raconter en détail l'histoire du monde.

La référence à l'avenir est chez Wenders aussi furtive que la référence au passé était timide. Wenders ne brosse jamais de tableau de l'utopie, parce qu'il ne sait que trop que toute concrétisation de l'utopie serait pur mensonge. Car sur l'utopie se prononcera le jugement dernier, dont personne ne sait ce qu'il sera, mais dont chacun doit avoir une représentation, sans image, s'il ne veut pas s'enliser dans le présent. L'utopie niche au contraire chez Wenders dans l'idée que chaque jour, qui est chaque fois le dernier jour, se prononce. L'homme est ce qu'il est devenu ; et il est ce qu'il sera toujours — ce qu'il était au moment du récit est à jamais ineffaçable, irréparable.

C'est sur cette idée que repose toute la dramaturgie de Wenders qui prend en quelque sorte conscience d'elle-même dans les films de la route parce que les personnes y font une expérience lorsque quelque chose leur arrive. Ainsi en effet Wenders fait l'économie de cette pensée du dramatique qui dans le drame ancien marque la péripétie et annonce la catharsis. Ce qui définit significativement la péripétie dans *Alice,* c'est justement que la mère *ne vient pas,* comme le chimérique Godot de Beckett. La conscience historique de Wenders recoupe ici son goût pour les films américains, « parce qu'on ne sait jamais comment ça va continuer..., un peu à la façon des films américains, ceux de Hawks par exemple, où l'on est constamment placé devant des situations nouvelles. »[1].

*Faux Mouvement,* de ce point de vue, apparaît d'abord comme un retour en arrière. Il y a une espèce de trahison dans le fait que la mère de Wilhelm a discrètement glissé dans sa valise les *Scènes de la vie d'un vaurien,* de Eichendorff. Car celui-ci fut tout de même aussi impitoyablement chassé de la maison paternelle que le sera, cent trente années plus tard, le clown existentialiste de Beckett. Au contraire la mère de Wilhelm pousse avec tendresse son fils vers le dehors, après lui avoir donné tout ce dont il peut avoir besoin, pour qu'il fasse son éducation selon le plan qu'elle a secrètement établi pour lui. Il faut tenir compte au film du fait que l'élément de fausseté qui le caractérise est expressément reconnu dans le titre. C'est pourquoi les dialogues de Handke, qui s'écoutent si précieusement parler, sont à ranger à côté des « œufs frais » auxquels Edda compare à juste titre les histoires dont Philip se rengorge lorsqu'elle veut flétrir son attitude. Au fond, *Faux Mouvement* n'a de vérité que dans le faux – comme négation : au moment où par exemple le prétentieux discours des personnages tourne à la récrimination (Wilhelm : « Tu me déranges pour écrire ». – Thérèse : « Tu ne m'as absolument pas écoutée ») ou encore quand les activités où se sont lancés les membres rassemblés par le hasard du petit groupe se mettent à tourner à vide.

Cependant il est incontestable que *Faux Mouvement* constitue un dépassement d'*Alice dans les villes* – c'est-à-dire comme négation de ce qui, après *Alice,* semblait tout à coup, de façon imprévue, possible. Après le hasard heureux qui l'avait confronté directement à la vie non aliénée d'un enfant, Philip pouvait espérer surmonter sa propre aliénation, qui lui avait fait perdre la faculté de voir et d'entendre. Son rire de soulagement, qui lui montre le chemin de la patrie, semblait lui promettre qu'il retrouverait bientôt aussi sa propre identité. Mais l'épilogue d'*Alice* n'était justement rien de plus qu'une promesse, *ce n'était pas une preuve.* Wilhelm cherche maintenant à s'acquitter

---

1. *Ibid.,* p. 70.

méthodiquement de la promesse que Philip s'était faite à lui-même, de retrouver une subjectivité non aliénée. Mais c'est s'échiner à trouver quelque chose qui, historiquement, n'existe plus. C'est pourquoi la conclusion de Wenders, en refusant la réconciliation, est beaucoup plus juste et radicale que celle de Handke, où le cliquetis de la machine à écrire, en annonçant qu'il est possible d'écrire, vise à une fausse réconciliation.

C'est alors que l'expression populaire − qui de prime abord semble n'engager à rien mais seulement sonner joliment − selon laquelle « on a perdu la faculté de voir et d'entendre » (« on ne sait plus où on en est »), montre sa profonde exactitude. Car si l'époque est révolue où la subjectivité était en harmonie avec elle-même, il faut voir dans ce fait une réaction produite par le processus historique qui a annulé le sujet − et cette annulation est la plus manifeste et la plus terrible dans l'Allemagne que décrivent ces films de la route. Car il ne peut plus y avoir sans un sujet authentique − du point de vue de la philosophie de l'histoire − de relation directe à l'objet. Avec le sujet, c'est nécessairement aussi la relation classique sujet-objet qui disparaît. Le monde objectal a pris beaucoup trop de puissance pour que l'individu puisse encore, en le faisant passer par son propre filtre le constituer en un contexte qui ait du sens pour lui.

Parce que Wilhelm ne veut pas le voir, ses tentatives sombrent dans le ridicule. Il sourit avec morgue d'un détail lamentable dans la conduite de Laertes − qui ne craint pas d'inscrire Mignon comme artiste et de s'inscrire lui-même comme chanteur sur le registre de l'hôtel − mais de semblables détails dans sa propre conduite font que ses prétentieuses tentatives pour tirer de tout et de tous un théorème de son échec sonnent faux et les font même apparaître comme quelque chose d'inhumain. Quand il parle sans finir de l'écriture, il apparaît seulement comme une imitation comique d'un artiste dépassé qui se met lui-même en scène. Il est tout à fait logique, de ce point de vue, qu'il se montre intentionnellement blessant dès qu'il fréquente les gens sans l'alibi de l'art ; il trouve à redire au « maquillage ridicule » de Jeanine lorsqu'il prend congé d'elle. Et il reproche à Thérèse, avec qui il vient juste de faire l'amour, d'être repoussante quand elle ne parle pas. Ceux précisément qui se croient les inventeurs de la sensibilité sombrent insensiblement dans l'inhumanité qui les fait parler des hommes comme si c'étaient des choses. Au fond, la tentative pour parvenir de force à l'identité avec soi-même ne fait qu'imiter celles qui ont historiquement abouti à la destruction de l'identité du sujet. La scène où Wilhelm veut jeter l'ancien nazi Laertes dans le Main apporte pour cette raison une explication presque inutile qui n'est sauvée que par le laconisme glacé avec lequel Wilhelm murmure par-devers soi une explication inepte en soi : « Ce n'est pourtant pas pareil qu'avec le chat, autrefois. »

L'art, qui s'est voué à l'esprit, donc la connaissance surprenante, mais qui n'est pas encore aux yeux de Wenders tout à fait malvenue, est devenu semblable à ce dont il voulait s'arracher : le monde réifié dans lequel l'inhumanité s'est matérialisée. *Faux Mouvement,* cette réflexion presque masochiste sur la volonté et la possibilité d'écrire, aboutit finalement au même résultat que les *travellings* pleins d'appréhension des premiers films à travers l'inhumanité des « lieux du spectacle ». Quand l'art est pour certains un métier que l'on peut continuer de pratiquer sans se poser de questions, c'est qu'il est devenu depuis longtemps cet ensemble de tours ridicules que Laertes et Mignon exécutent en dilettantes : des déchets culturels.

Après *Faux Mouvement,* on ne peut plus rêver de parvenir seul, à travers l'écriture, à l'identité avec soi-même. Cela ne veut pas dire que la promesse de l'art, l'esquisse d'un monde meilleur où il sera finalement possible de vivre non aliéné, est oubliée, qu'on s'en est débarrassé une fois pour toutes. Cela signifie seulement que l'art n'est pas en mesure, dans l'état actuel des choses, de s'acquitter de sa promesse. Celui qui s'accroche malgré tout finit nécessairement par vivre dans les nuages, comme Wilhelm sur le Zugspitze. Car la tempête, qui là-haut déchire les nuages, n'éclate pas chez Wenders.

La force de la vie, qui est toujours justement une force de gravitation qui nous attire vers le bas, ramène le rêveur éveillé sur le sol de la route.

Dans *Au fil du temps,* Bruno – qui n'est pas par hasard joué par le même acteur que Wilhelm – est la réincarnation désillusionnée du romantique de la mer du Nord. Il est encore au service de l'art, mais son service n'est plus désormais que de maintenir en état des appareils de projection, afin qu'un jour, ils puissent servir, dans des temps meilleurs, à projeter des films meilleurs, qui sont encore refoulés par l'industrie de l'abrutissement. Continuer de rêver à la promesse de l'art, ce n'est plus maintenant qu'un travail de maintenance. Mais cela même n'est déjà plus possible dans l'*Ami américain :* Jonathan, qui a dû être un excellent restaurateur de tableaux, a été mis par sa maladie hors d'état même de faire ce travail. Il est seulement encore capable, au début du film, de faire des cadres où l'art sera ensuite enfermé exactement comme la vie. Le seul qui produise encore de l'art, dans l'*Ami américain,* et ne se contente pas de le brader, passe officiellement pour mort : Derwatt, qui vit sous le pseudonyme de Bogash. Les artistes sont plus aliénés encore que les autres hommes parce qu'ils doivent porter leur aliénation jusqu'à son terme dans leur production et en faire un objet de conscience.

Sans aucun doute, pour Wenders, l'art a perdu, avec *Faux Mouvement,* beaucoup de son aura utopique. Il n'a certes jamais cessé d'y penser, autrement l'art n'aurait pas continué de jouer un rôle central comme il est de rigueur chez un artiste − mais cette pensée s'enkyste de plus en plus, dans l'espoir de résister à l'hiver. Mais, pour autant, la violence avec laquelle ses personnages se lancent à la recherche de leur identité, et cherchent à se trouver en accord avec eux-mêmes ne se dément pas. Les films adoptent sans réserve l'idée qu'il n'y a pas de vraie vie dans l'inauthentique, mais ils ne s'y résignent pas. Plus il est manifeste que l'ancien rêve s'évanouit, plus les personnages de Wenders mettent d'acharnement à se heurter à ce qui l'empêche de se réaliser. Il semble devenu impossible, après *Faux Mouvement,* de nier que l'art ne résout rien, parce qu'il est devenu semblable, par mimétisme, à ce qu'il voulait combattre. C'est pourquoi c'en est désormais fini des détours. Depuis *Au fil du temps* − et ce n'est pas la moindre des raisons qui font de ce film le bilan des films précédents − Wenders va directement au cœur du problème. Désormais il y va de la totalité : une question de vie ou de mort.

Je suis encore une fois tenté de citer une chanson des Kinks. Pourquoi vivons-nous, au fond, chantent-ils dans *Dead End Street*, là où les hommes sont dans l'impasse. Chez Wenders, étonnante conséquence, ils sont dans le pétrin [1]. Au milieu d'*Au fil du temps* − l'homme qui pleure parce que sa femme s'est tuée dans un accident de la route, est encore avec les deux *Kings of the road* − Robert raconte un rêve où se résume lumineusement le mouvement de l'œuvre jusqu'à ce film : le rêve, l'écriture, le voyage.

*Robert :* Il y avait une encre qui permettait dans un même mouvement d'effacer ce qui était écrit et d'écrire quelque chose de nouveau... Il me fallait toujours penser à la même chose puis l'écrire. Même lorsque je me suis réveillé de ce rêve... Répétitions,

---

1. En allemand *in der Tinte stecken*, littéralement, être dans l'encre.

déroulements, chemins abstraits que je... vivais et mettais par écrit en même temps. Ça veut dire que le rêve était une écriture, et ça tournait en rond... jusqu'à ce que l'idée me vienne, en rêve, d'utiliser une autre encre. Avec la nouvelle encre... je pouvais à la fois penser et voir quelque chose de neuf. Et écrire... Et il n'y avait plus de problème ! *(Robert a une expression satisfaite).*

*Bruno :* Ça je ne le crois pas !... Tu es encore dans le pétrin [1].

Tout se passe comme si c'était à Bruno maintenant − ce Wilhelm désillusionné que Wenders a fait redescendre du Zugspitze sur la terre − de ramener les autres à la réalité. Il n'existe pas d'encre qui puisse transformer le cercle vicieux de l'écriture − cette illustration de la répétition qui caractérise la vie quotidienne − en ligne droite, et permettre à celle-ci de progresser. Et conformément à cela, la question de la vraie vie est posée pour la première fois aussi dans *Au fil du temps.* Les premiers mots un peu personnels qu'échangent Robert et Bruno portent sur la forme de leur vie.

*Robert :* Seul ?... Deux années ?... Et comme domicile ou lieu de résidence fixe ?

*Bruno :* Le camion est immatriculé à Munich. C'est aussi là que je l'ai acheté.

*Robert :* Que ça puisse aller, d'être seul !

*Bruno :* Ça va bien ! De mieux en mieux !

*Robert :* Je ne peux pas. *(Hoche la tête avec résignation)*

Les personnages de Wenders doivent se frayer un passage entre deux pôles comme les Argonautes entre Charybde et Scylla : d'un côté la solitude (que ce soit celle de Bruno dans sa « coquille d'escargot » ou celle de Wilhelm dans la tour d'ivoire où, pour avoir voulu être un artiste, il a perdu tout contact direct avec les autres hommes) et d'autre part, l'impossibilité de vivre de façon durable avec d'autres hommes − et avant tout avec des femmes. Les personnages de Wenders ne supportent ni l'un ni l'autre, ni la solitude ni la vie avec d'autres. Dans un cas comme dans l'autre ils finissent par concevoir un dégoût de la vie qui les fait caresser l'idée du suicide et jouer en larmoyant avec elle. Philip Winter, dans son désespoir, ferme les yeux au volant de sa voiture et roule en aveugle sur les autoroutes américaines ; et Robert, au cours de son voyage de kamikaze, après avoir déchiré la photo de la maison dans laquelle on suppose qu'il vivait avec sa femme, ferme lui aussi les yeux et fonce dans la rivière.

---

(1) Voir note page précédente.

*Au fil du temps.*

Mais en face de la mort, ils reprennent leurs esprits. Même s'ils ne songent pas tout à fait sérieusement au suicide lorsqu'ils conduisent les yeux fermés — il s'agit plutôt d'une espèce enfantine d'épreuve de courage, une réminiscence de la course mortelle dans la *Fureur de vivre,* de Nicholas Ray — elle les force à comprendre cependant que la vie, dans sa forme contemporaine, est presque déjà une sorte de mort apparente durant le temps de notre vie. C'est encore un dialogue d'*Au fil du temps* qui en donne la formule et apporte ainsi une fois de plus la preuve de l'exactitude avec laquelle Wenders établit le bilan de ses précédents films. Bruno et Robert ont trouvé refuge dans un poste d'observation américain. Epuisés, ils se sont soûlés presque systématiquement et en viennent peu à peu à se quereller.

*Bruno :* Pourquoi ne retournes-tu pas chez ta femme si tu ne supportes pas d'être sans elle ?

*Robert :* Ce n'est pas possible.

*Bruno :* Pourquoi non ?

*Robert :* Je ne suis plus moi-même quand je suis avec elle.

*Bruno :* Pourquoi, alors, l'appelles-tu sans arrêt ?

*Robert :* J'ai peur qu'elle ne se fasse quelque chose.

*Bruno :* Espèce de couard ! Tu as peur de toi-même. De cette manière, tu finiras par la tuer réellement ! Elle s'en sort bien !

*Robert :* Tu ne la connais pas !

*Bruno :* Mais je te connais !

*(Robert s'énerve peu à peu.)*

*Robert :* Tu ne sais absolument pas de quoi tu parles. Tu es dans ton camion comme dans un bunker et tu sors de belles sentences sur la solitude. Il ne peut absolument rien t'arriver.

*Bruno :* Il m'est arrivé suffisamment de choses.

*Robert :* Mais maintenant c'est fini ! C'est comme si tu étais déjà mort ! Mais est-ce que tu as seulement encore un désir ?

*Bruno :* Salaud !

*(Ils se battent un moment avec acharnement.)*

En face de la mort, dans la prise de conscience de cette mort apparente qui est la forme auto-aliénée de sa propre vie, se pose de nouveau la question de l'identité. Avouer que la réalisation de soi n'est pas encore atteinte, c'est désormais supposer qu'il faut continuer de chercher à l'atteindre. Le rêve, l'écriture, le voyage : ce ne sont que des chemins détournés — peut-être nécessaires — vers la reconnaissance du fait que l'on n'est pas encore devenu soi-même. Les amitiés passagères ne sont pas un ersatz de cette identité avec soi-même ; mais elles permettent, par les conversations qu'elles provoquent à ce sujet, de comprendre ce fait.

Tout doit encore changer. Le chemin continue encore qui mène à la réalisation de soi, et la quête de sa propre identité se poursuit encore. Après leur querelle, qui a mis au jour leur problème de telle sorte qu'il ne peut plus être nié, prend fin le bout de chemin que Robert et Bruno ont fait ensemble. Robert, plus actif, le remarque en premier. Un peu content de lui, il lance ironiquement par la fenêtre du train à Bruno, qui est dans son camion : « Ça va de mieux en mieux, hein ? », renvoyant ainsi au début du film, comme s'il avait lui-même réussi à prendre un nouveau départ.

Il semble bien que ce soit vrai de Wenders. Le bilan qu'il a établi avec *Au fil du temps* l'a en tout cas aidé à prendre un nouveau départ, et l'*Ami américain* en porte les marques, de plusieurs points de vue. Deux choses sautent aux yeux — qui font apparaître une perspective nouvelle chez Wenders : le monde d'une part s'est réduit à une mégalopole et d'autre part il ne suffit plus désormais de vouloir pour atteindre l'identité, il y faut un acte. Après qu'il a parcouru et mesuré sa patrie — plus précisément le pays qui aurait dû être sa patrie — sans y trouver aucune satisfaction, – si ce n'est dans la reconnaissance du fait que le voyage seul ne fait pas avancer celui qui est à la recherche de son identité – Wenders transforme le monde dans son entier en un unique lieu de l'action. New York, Hambourg, Paris et Munich se réduisent à un seul lieu. La catégorie de l'éloignement ne peut plus rien définir. Partout la même architecture, partout la même destruction de la ville. Alors que les personnages cherchent encore leur identité, il y a longtemps que les lieux ont perdu la leur. Un hôtel japonais à Paris ; le nouveau quartier de La Défense, qu'on pourrait aussi bien trouver dans n'importe quelle autre ville ; d'autre part la ressemblance frappante entre Lower East Side de New York et le quartier du port de Hambourg – Wenders ne fait plus aucune différence entre les lieux de l'action – peu importe s'il y a entre eux une station de métro ou six heures d'avion.

Le voyage lui-même, en conséquence, est devenu accessoire. Il a perdu ce caractère de moyen de connaissance que les premiers films, faisant ainsi écho au roman de formation du classicisme et du romantisme allemands, lui avaient conservé. Certes Ripley fait la navette entre New York et Hambourg et Jonathan entre Hambourg et Paris, mais le voyage en soi a perdu sa signification. Il importe seulement désormais à Wenders de rappeler l'atmosphère du pays étranger où personne de connaissance ne peut contrôler ce que vous faites et où le caractère de Jonathan peut se transformer plus violemment que chez lui, où il s'attend toujours à croiser le regard de sa femme.

*La Lettre écarlate*

*L'Ami américain*

Celui qui – selon l'expression courante – est « hors de portée », peut se montrer moins scrupuleux – vis à vis de l'opinion qu'il a de lui-même, entre autres choses. Hors des liens de l'intimité familiale, vous êtes à la fois plus fort et plus faible. A Hambourg Jonathan, plus étonné que scandalisé, rejette la proposition de Minot, qui ferait de lui un tueur ; et c est plutôt la curiosité qui l'amène à Paris, il ne s'est pas décidé. Mais une fois là-bas, il se montre très vite prêt à tuer ; il ne peut plus guère opposer de résistance à la tentation dans une ville étrangère. Il n'aurait pas osé commettre ce meurtre à Hambourg. Certes il chancelle – après s'être blessé lui-même à la tête d'une manière symbolique – derrière le *mafioso* comme s'il était en transe, mais il n'aurait certainement pas trouvé la force d'accomplir cet acte si extraordinaire avec autant de dilettantisme dans un environnement plus familier – et ce n'est pas un hasard si Wenders a choisi La Défense, ce quartier froid, repoussant, inhumain, comme lieu de l'action. On ne peut en tout cas pas comprendre que Jonathan ait commis cet acte si on ne tient pas compte du second élément que Wenders introduit dans l'*Ami américain* comme source de l'énergie de la vie : la possibilité réelle de la mort.

Jusqu'à *Au fil du temps,* la mort n'était qu'une expérience secondaire : un jeu avec des thèmes propres aux films de genre, une hypothèque morale supportée par les enfants sans pères de l'Allemagne, une réflexion esthétique sur les problèmes que posaient à Wenders les débuts de sa propre carrière artistique (mort de la caméra). Jusqu'alors la mort n'était présente dans les films de Wenders que sous la forme de la mort apparente redoutée à l'intérieur d'une société reconstruite et figée qui interdit à l'individu, enfoui dans la banalité quotidienne de l'identique immuable, la quête de son identité.

Il faut désormais que chacun se crée son propre espace vital, ce qui veut dire – avec la dramatisation propre au cinéma – protéger sa vie pour pouvoir la modeler. Ce thème, même si on peut y lire d'abord la commercialisation des moyens cinématographiques d'avant, constitue aussi une radicalisation du thème ancien. Ce n'est pas pour n'importe quel motif que Jonathan devient capable de tuer. Il n'accepte ce boulot de tueur que pour savoir à quoi s'en tenir sur sa maladie et – si les examens médicaux devaient se révéler positifs – pour laisser quelque chose à sa famille. Il tue pour préserver sa vie et celle des siens. Un paradoxe et en même temps une situation très simple : la légitime défense par personne interposée dans la situation aliénée

de la société civilisée où plus rien ne se passe de manière directe, mais toujours par des détours et des médiations.

Et tout est pourtant beaucoup plus direct, beaucoup moins compliqué. Parce que la recherche de l'identité n'emprunte plus le détour du rêve, de l'écriture, du voyage. C'est réellement maintenant une question de vie ou de mort ; ou, pour exprimer cela autrement : parce qu'il ne s'agit plus seulement d'un rêve de vie meilleure qui se réalise dans l'écriture et le voyage, mais de la

*L'Ami américain :* séquence du meurtre.

forme réelle de l'existence, il faut désormais avoir constamment
en tête la pensée du danger le plus extrême qui la menace et de sa
fin toujours possible, la pensée de la mort.

Au fond Wenders n'a fait que tirer les conséquences pratiques
des conclusions d'*Au fil du temps.* Mieux vaut pas de films que de
tels films, entendait-on dans la conversation de la fin sur la
situation réelle du cinéma. Donc plus de ces films qui véhiculent

des rêves trompeurs et détournent de la réalité. Wenders a lui-même formulé ce point de vue dans sa critique de *Nashville,* de Robert Altman. Il y est question du sentiment « que le cinéma a quelque chose à voir avec la vie, que le cinéma constitue sur notre temps une documentation plus précise et plus ample que le théâtre, la musique ou les arts plastiques, que le cinéma peut porter préjudice aux hommes en les rendant étrangers à leurs désirs et à leurs angoisses ou que le cinéma peut être utile aux hommes en leur ouvrant le champ de la vie et en plaçant sous leurs yeux en évidence le spectacle de la liberté. [1] »

Vivre c'est désormais, non plus s'accrocher à de quelconques rêves de vie non aliénée, mais repérer dans les contraintes de l'aliénation les issues qui mènent à la liberté et suivre les chemins qui y aboutissent − et fût-ce finalement au prix de sa propre vie. Et ce n'est pas un hasard si les quatre films suivants, qui indubitablement forment un ensemble fermé sur lui-même, s'achèvent par la mort : l'*Ami américain, Nick's movie - Lightning over water, Hammett* et l'*Etat des choses.* Et ce n'est pas non plus un hasard si deux d'entre eux résultent d'une telle exigence de liberté et représentent en effet une protestation contre les contraintes d'Hollywood : *Lightning over water* et l'*Etat des choses.* Ils témoignent de ce qu'il ne faut pas se soumettre aux contraintes de l'aliénation et de la définition sociale ; ils prouvent que l'on ne peut se défendre de la prégnance de la définition sociale qu'en prenant réellement de telles libertés.

Dans cette hypothèse la mort n'est pas simplement une fin, la conclusion de quelque chose. Sa signification est désormais chez Wenders l'inverse de celle qu'elle a dans les « histoires » (que nous opposions au « récit » dans le deuxième chapitre) − d'où la nécessité de conclure faisait vraiment s'évanouir toute vie. La mort est chez Wenders quelque chose de plus important et − bien que ceci ait l'air d'un paradoxe − de plus vivant. Comme la vie elle-même, en effet, la mort a quelque chose à voir avec l'identité. Ce n'est qu'en face de la mort que Jonathan découvre en lui-même des forces dont il ne connaissait pas l'existence et qui se substituent en lui à d'autres forces, qui ont décliné en même temps que sa compétence professionnelle. Face au défi de la mort, entraîné dans un jeu mortel, il ne découvre pas seulement en lui

---

1. Wim Wenders : *Nashville - ein Film bei dem man Hören und Sehen lernen kann* (Nashville, un film qui peut nous apprendre à voir et à entendre), *Die Zeit*, 21 mai 1976.

Etapes d'une amitié : (en haut) — Refus, jeu, aide (au centre) — *L'Ami américain.*

des abîmes insoupçonnés, mais aussi la force de résister à l'irrémédiable, de vivre une forme particulière d'amitié, et surtout d'entretenir avec les autres une relation nouvelle et plus intense.

Car la peur de la mort que Jonathan éprouve depuis qu'il sait celle-ci inévitable aiguise en lui une autre peur que l'on porte en soi sa vie durant − de manière longtemps inconsciente et refoulée : la peur de la vie. C'est-à-dire précisément ce sentiment d'insécurité et de vulnérabilité qui poussait les personnages des premiers films de Wenders à chercher une issue, en se mettant en quête de leur patrie, en cherchant à se dépasser dans l'art ou en plaçant leur espoir dans le progrès. Wenders ne peut plus revenir sur le bilan qu'il a établi, de ce point de vue, avec *Au fil du temps* : il y a pris la mesure de la patrie et du domaine avec lequel il pouvait travailler en tant qu'artiste ; dans les deux cas le bilan est négatif. Mais il est positif du point de vue de ses capacités propres : après *Au fils du temps* c'en est fini du doute qui agitait constamment Wenders sur sa qualité d'artiste (mais cela ne met pas nécessairement fin à d'autres doutes). Pour autant, les raisons d'aimer passionnément l'art et le voyage ne sont pas devenues caduques, mais cette passion peut désormais se tourner vers un autre but : non plus le simple rêve de la vie, mais la vie même.

Si notre hypothèse − la peur de la mort accroît la peur de la vie et rend celle-ci plus discernable et plus intelligible − et l'on pourrait la comparer à celle de Freud selon laquelle les lois de la normalité trouvent une expression plus rigoureuse dans les cas pathologiques extrêmes − si notre hypothèse, donc, est juste, le voisinage de la mort devient alors le champ d'une expérimentation radicale de la vie. Cette direction était indiquée par une réflexion tirée du journal de Nicholas Ray et citée dans le commentaire de *Lightning over water* : "A partir de quel âge ai-je vraiment voulu mourir ?" Il n'est peut-être pas exact de parler ici de mourir ; c'est plutôt au contraire que vivre sans mourir l'expérience de la mort me semblait un but naturel. »

Voilà le point important : la mort non pas comme fin d'une vie ou d'une histoire, mais comme expérience vécue radicale. L'art entre ici de nouveau en jeu, mais cette fois, sur un autre plan. L'art, en représentant les phénomènes, rend discernable la menace qui pèse sur la vie et la peur que cette menace suscite ; de ce fait, l'art d'un côté donne à l'artiste le moyen d'une libération (ce que la psychanalyse appelle sublimation) et présente au spectateur le modèle (au sens positif et négatif du terme) d'une libération possible. Au cours de la cérémonie funèbre en l'honneur de

Nicholas Ray, sur la jonque qui prend le large, c'est exactement l'idée que Stephan exprime : « Il cherchait une solution au problème de la mort, mais au cinéma, parce que dans la vie, il n'y a pas de solution... » Et Eddy complète : « ... c'est pour braver la mort qu'il a fait ce film. »

Mais Wenders, pourquoi l'a-t-il fait ? Quels étaient ses motifs ? A elles seules les difficultés de production qu'il rencontrait avec *Hammett* et l'impatience qu'il éprouvait de ne rien avoir achevé depuis si longtemps ont sans aucun doute joué un rôle, mais elles n'expliquent pas tout.

« La mort n'est pas une solution » remarque Fritz Lang dans le *Mépris,* de Godard, et ce n'est pas un hasard si Wenders a fait de cette remarque la phrase centrale de l'éloge funèbre qu'il écrivit pour celui qui fut le père empêché du Nouveau cinéma allemand : la mort n'est pas une solution * [1]. La mort ne résout réellement rien. Elle ne fait que mettre fin à quelque chose. Mais si, comme le pensait Jean Cocteau, faire du cinéma, c'est voir la mort au travail, en ce qu'elle met fin à quelque chose, elle rend alors aussi la vie plus intense. C'est la dialectique de ces « messages de mort » que sont les films, selon Wenders dans l'*Etat des choses.* Si un film ne donne à la mort que le sens d'une fin, d'un *out*, il la charge alors aussi d'une faute qui revient en fait à la vie quotidienne, où les hommes sont traités avec mépris et légéreté. Lorsque Wenders donnait tous les rôles de gangsters de l'*Ami américain* à des metteurs en scène, il s'agissait exactement d'une discrète protestation contre cette manière d'agir. Mais lorsqu'un cinéaste montre le phénomène de la mort jusqu'à vivre l'expérience de la mort − jusqu'à représenter un fragment d'une vie soumise à la plus forte pression, quelque chose de la vie même, du caractère et de la valeur morale d'un personnage se révèle alors qui serait sinon demeuré caché. Mais dans cette révélation − même si cela peut sembler *a priori* cynique − se fait jour aussi un fragment de liberté, un fragment de dignité, un fragment de cette identité tant désirée.

C'est seulement en face de la mort, au moment où le poids le plus lourd pèse sur votre esprit, que l'énergie de la vie rayonne de

---

(*) En français dans le texte.

1. Wim Wenders, *Sein Tod ist keine Lösung - der deutsche Filmregisseur Fritz Lang.* (Sa mort n'est pas une solution − le metteur en scène allemand Fritz Lang) *in Filmjahrbuch* 77/78, édité par Hans Günther Pflaum, Munich, 1977, pp. 161 *sq.*

son éclat le plus pur. Jonathan, qui manifestement n'a cessé de sombrer dans la léthargie, découvre soudain en lui, après qu'il a reçu le télégramme de Ripley qui marque le début du jeu mortel, des forces dont il ne soupçonnait pas l'existence. Nicholas Ray essaie jusqu'au bout, par un effort monstrueux, de faire de sa mort un document sur l'art, une œuvre d'art. A un moment essentiel de *Lightning over water* on retrouve – presque avec surprise – une séquence de rêve, qui éclaire de manière significative cet aspect de la vision du monde de Wenders, et prouve encore une fois combien tout se tient dans son œuvre. Wenders est allongé sur le lit de malade de Nick, à sa place : le jeune metteur en scène, dont la vie n'est pas menacée, à la place du vieux, qui a maintenant sa vie derrière lui et qui se défend contre la mort avec le seul moyen qui lui reste – l'art, qui a été sa vie.

Wenders est allongé sur le lit, un rayon de lumière rouge sur le corps. Jeune critique de cinéma, il avait dit que le rouge était « une couleur du mensonge » [1] ; depuis qu'il connaît personnellement Ray, son opinion s'est modifiée, car le rouge est toujours chez Ray le signal d'un danger, il signifie l'amour de l'aventure. On entend, dans cette lumière rouge, la voix de Ray en off : « Dire la vérité ça finit par devenir ennuyeux – sauf quelquefois. Quelquefois c'est excitant de dire la vérité parce que personne ne compte que tu vas la dire. Pas toute la vérité. Et puis tu te trouves tout à coup en plein dedans, en train de dire la vérité à la face de Dieu et du monde. "Hey, qu'est-ce que je suis en train de faire ?" Et tu t'es simplement mis à nu. C'est ce genre de vérité à quoi je pense. » Et Nick prend la main de Wim comme s'il voulait lui transmettre quelque chose de cette vérité ; cependant il abandonne ensuite cette main avec dédain. L'autre n'en est pas encore là.

C'est, ramassé comme toujours chez Wenders en un geste sans paroles, le point qui décide de tout. Quand c'est tout ou rien, quand c'est une question de vie ou de mort, l'art ne peut se permettre de mentir, il ne peut pas agir comme s'il savait de quoi il retourne alors qu'il ne s'est pas lui-même exposé au danger. Lorsqu'il agit ainsi, il n'est plus que cette façon de raconter à bon marché des histoires qui galvaude la mort en l'utilisant dans sa

---

1. Wim Wenders, « Repertoire » - *Filmkritik,* juin 69, pp. 383 *sq. Réédité in* Wim Wenders, *Texte zu Filmen und Musik* - Materialen zur Filmgeschichte n° 4. Edité par les amis de la cinémathèque allemande, Berlin, 1975, p. 15.

Vie et imagination, document et fiction : *Hammett*.

dramaturgie comme une fin. Ce n'est qu'en acceptant de courir le plus grand risque que l'art peut rencontrer cette vérité excitante qui le met à nu. Mais cette mise à nu est le contraire d'une dénonciation. Elle est le degré extrême de la sincérité.

C'est là aussi le problème de Hammett qui veut se soustraire au sordide du quotidien pour écrire. Mais le sordide continue de contaminer son art même, non parce que Hammett est encore un débutant dans ce domaine, mais parce qu'il exploite les dangers de la vie sans s'y exposer lui-même. C'est ce que lui reproche tout de suite son ami Ryan, et c'est ainsi qu'il l'appâte. Ce n'est pas exposé en toute lumière dans le film, mais on peut supposer que Hammett ne se laisse pas entraîner dans cette affaire par son amitié pour Ryan, mais parce qu'il a mauvaise conscience en tant qu'artiste de s'être contenté de faire de bonnes affaires en publiant les expériences vécues de Ryan.

Hammett se laisse alors entraîner dans la vie, c'est-à-dire qu'il s'expose au danger. Mais il est maintenant juste au milieu, c'est-à-dire qu'il n'est réellement nulle part. Ballotté entre les défis de la vie et ceux de l'art, il n'est pas encore dans le cas de pouvoir réconcilier l'une et l'autre. C'est pourquoi il ne réussit qu'à

131

provoquer le chaos ; c'est pourquoi il n'a plus réellement d'identité et ne peut plus se voir autrement que comme simple idiot.

*Kit : Who the hell are you now, Hammett the writer or Hammett the detective ?*

*Hammett : I think you left out Hammett the fool.*

Je suis un idiot, ce n'est ici qu'une manière désinvolte et auto-ironique de dire qu'on n'a pas trouvé son identité – et à ce propos, à vrai dire, il faut bien remarquer que les auteurs du scénario n'ont guère tenu compte des intentions particulières de Wenders. Pour cette raison la question se pose de savoir dans quelle mesure il est possible d'introduire *Hammett* dans l'ensemble cohérent des réflexions que développe l'œuvre wendersienne. Je pars cependant de l'hypothèse que rien du moins n'a été introduit dans ce film qui eût été fondamentalement contraire aux intentions de Wenders, sinon la confrontation, des années durant, avec les gens de Zoetrope, n'aurait plus aucun sens. Il suffit alors de considérer les esquisses de certains thèmes – aussi claires que si elles avaient été réellement travaillées jusqu'au bout – pour voir en *Hammett,* sans autre examen, une étape logique entre *Lightning over water* et l'*Etat des choses* – même si le fait est noyé dans un langage stylistique marqué par le genre et imposé pour des raisons commerciales.

Le film commence, déjà – c'est la première fois chez Wenders – par une présentation triomphale – elle en est presque puérile – de l'artiste. Hammett, comme dans une tour d'ivoire dans son appartement où ne parviennent pas les bruits de la rue, pianote sur sa machine à écrire – sans faire de pause, et sans rencontrer de doute ou de difficultés d'articulation. Le charriot de la machine à écrire, en gros plan, avance frontalement, presque brutalement, vers le spectateur, comme si elle était une machine à l'attaquer par surprise. Il faut se souvenir de la prudente modification de l'épilogue de *Faux Mouvement* par Wenders pour reconnaître la part de l'intentionnalité dans un plan aussi apparemment secondaire. Et Hammett, libéré et épuisé à la fois, place justement sous la conclusion de son histoire le mot fin. Car Hammett est malade : la tuberculose, et aussi, l'alcool.

Il ne serait vraiment plus capable de connaître encore des aventures comme celles qu'il raconte, en arrangeant avec un peu d'imagination ses souvenirs (et principalement ceux qu'il a de Ryan). Wenders montre les images sorties de l'imagination de Hammett sous une couleur qui évoque presque le noir et blanc – il aurait d'ailleurs préféré tourner tout le film en noir et blanc. Le vieux cameraman Joe, qui ne se soucie plus désormais que de la lumière, explique la différence dans l'*Etat des choses* : « *Life is in colour, but black and white is more realistic.* » L'art est donc plus réaliste que la vie ?

Du moins l'art ne peut-il se passer de la vie. C'est pourquoi Hammett doit de nouveau, comme autrefois, risquer sa vie. S'il réussit à survivre dans ce monde de défiance absolue, de corruption totale et d'immoralité sans bornes, il le doit bien plutôt au genre du *film noir* [*] – auquel Wenders montre bien qu'il se réfère à travers *Hammett,* qui en reflète – et en répète aussi d'un bout à l'autre – les règles. Ryan, pour qui Hammett a assumé tous ces dangers et dont il est lui aussi, en fin de compte, la dupe, Ryan meurt à sa place. Ici non plus la mort n'est pas une solution, mais une dis-solution, une séparation par laquelle il faut, il est vrai, que la vie confirme ce que l'art avait déjà anticipé.

Car dans le récit que Hammett achève au début du film et dont il perd le manuscrit, Ryan meurt, justement – ou le personnage factice auquel il a servi de patron. Ryan n'aime pas cette fin, c'est

---

(*) En français dans le texte.

compréhensible ; et, presque à la fin, lorsqu'il rend le manuscrit à Hammett, il lui dit triomphalement combien l'écrivain s'est trompé : « *I even read it again. I still dont't like it. It needs a better ending... You thought my life was over, Hammett. It's just beginning. If you want something real to write about... write about this ! »* Et il montre à Hammett le salaire de toute cette sale histoire : un million de dollars. Mais il est finalement abattu − à cause de ce million justement − par Crystal dont il se croyait aimé.

La mort seule rend à la vie sa poésie. Mais ce n'est pas par exemple parce que la vie connaîtrait, avec la mort, un achèvement, une fin qui la « complèterait » et qui permettrait de considérer quelque chose comme un tout, presque comme une totalité − c'est tout le contraire. Ce serait là un genre d'histoire et de conclusion dont Wenders a horreur. Non ce n'est pas pour cette raison, mais au contraire parce que la vie l'emporte sur la dramaturgie de l'art, et développe son sens à sa manière, même si c'est en passant par le médium de l'art.

Au fond Ryan est le metteur en scène de cette histoire que vit Hammett, un peu comme Ripley, qui entraîne le malheureux Jonathan dans un jeu diabolique qu'il n'a plus ensuite la possibilité d'arrêter. Hammett, qui règne souverainement dans le domaine qui est le sien en tant que romancier et anticipe presque, dans ce domaine, la fin de l'histoire réelle, n'est dans cette histoire − qui est montrée, dans le film, dans les séquences en couleurs et donc présentée comme la vie − qu'une marionnette, qui ne prend que lentement conscience de ce qu'elle est, animée par les longs fils de l'intrigue de Ryan. L'artiste voit la vie d'un œil plus juste que les autres, mais il n'en est pas le créateur souverain, et il en est, pour cette raison, doublement dépendant. Au contraire, Ryan est dans la même situation que Nick Ray dans *Lightning over water*. Simplement, il n'en est pas du tout conscient car il espère bien sauver sa vie et s'échapper, tandis que Ray essaie de donner aux derniers jours de sa vie le caractère d'une œuvre d'art, ce film, par le moyen duquel il tente de braver la mort, et il peut le faire dans la mesure où le film survivra après sa mort.

L'issue du récit né de l'imagination de Hammett représente pour Ryan ce que représentait pour Ray le diagnostic des médecins. Dans les deux cas la scène est comme une ouverture qui anticipe de manière incontestable la fin réelle du film. Ces deux ouvertures livrent une ébauche de la dramaturgie − claire dans le premier cas, masquée dans le second — et les deux fois la vie est plus forte.

Ce sont les retournements dialectiques de l'énergie de la vie. Les premiers personnages de Wenders employaient leur énergie vitale à devenir des artistes, à se mettre au service de l'art dans l'espoir de parvenir ainsi à une vie non aliénée et de trouver l'identité avec eux-mêmes. L'art était un moyen d'approcher le rêve de la vraie vie. Ce moment trouva son achèvement avec *Au fil du temps*. La vie déploie depuis son énergie d'une tout autre manière, en cherchant à contrecarrer les dramaturgies parfaites, les intrigues ordonnées à une fin, et finalement le *telos* de l'art qui domine également le destin des films de Wenders. Si dans la première phase, que l'on pourrait nommer la phase romantique et idéaliste, la vie devait se transmuer en art et en beauté, dans la deuxième phase, que l'on pourrait nommer la phase de la désillusion, cette idée est abandonnée, sans que l'on puisse parler pour autant d'une rupture.

Il faut voir, au contraire dans cet abandon la conséquence logique du fait que l'ancien rêve s'est brisé. L'art a une dynamique différente de celle de la vie ; c'est pourquoi l'énergie de la vie, qui n'oublie pas non plus, finalement, l'exigence de l'identité, doit chercher à se défendre contre la perfection de l'art. La mort réelle est présente dans les films de Wenders depuis *Au fil du temps,* et il ne s'agit plus, comme avant, de déplorer en larmoyant que la vie soit devenue une mort sociale apparente. Les premiers films ne faisaient que mettre en garde contre les risques d'automutilation et faire comprendre — presque à la manière d'une conjuration —, que l'écriture — l'art — se paie avec son sang.

Wenders a d'ailleurs ici encore avancé pas à pas, et cela prouve qu'il ne faut pas voir dans le développement de cette idée un quelconque volontarisme intellectuel mais le patient mûrissement de ses expériences. Je doute même qu'au moment où naquit l'*Ami américain* Wenders ait déjà été familiarisé avec les possibilités que recelait cette idée ; mais je pense que chaque film a peu à peu révélé ces possibilités — et que de la sorte il était d'autant plus impossible de ne pas en tenir compte — jusqu'à ce film dont elles forment le cœur et qui développe cette idée dans toutes ses implications et établit par surcroît le bilan de tout le processus : l'*Etat des choses.*

« Ce qu'ils voulaient de lui, c'était seulement une histoire, pas sa vie. » Tel est le résumé que Wenders fait de ce film « presque

Faire l'expérience de la réalité... (en haut) – pour lui trouver une fin dans la fiction : *Hammett*.

documentaire sur une histoire fictive ». Cette conclusion trouve naturellement son origine dans le pessimisme suscité par l'expérience américaine, mais elle s'insère sans raccord dans la ligne logique de cette évolution, même si elle semble *a priori* absurde dans le film, même si elle semble – du fait que les assassins de Fritz et de Gordon restent invisibles – dictée par le destin. Mais ce qui frappe, ici encore, c'est que cette réflexion – sur un sujet auquel Wenders revient par une curiosité toujours

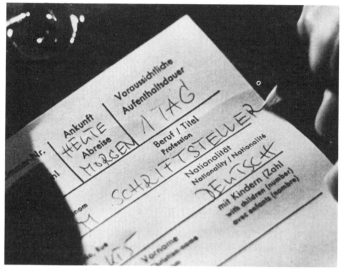

La volonté de pouvoir écrire...

renouvelée et qui lui procure le plaisir de surprises toujours répétées – s'insère, comme si cela allait de soi, dans la ligne qu'il s'est continuellement fixée.

Le fait que le metteur en scène et le producteur – ceux qui ont donc la responsabilité du projet de film « Survivors » – n'ont plus depuis longtemps la haute main sur l'histoire qu'ils veulent raconter est décisif pour comprendre l'enchaînement des idées que nous développons ici ; ils sont au contraire prisonniers des mécanismes qui, au-delà de chaque œuvre particulière, dominent les règles de l'art et d'une tout autre manière que celle qui conviendrait à l'artiste. L'épilogue du film, où tous deux, pour une histoire, perdent la vie, est le douloureux symbole dans lequel Wenders résume le sinistre bilan de l'histoire du cinéma : l'artiste, à qui il revient de s'occuper, par le moyen de son art, d'une vie meilleure, est détruit par la vie réelle.

Le titre du film que tourne l'équipe dans le film réel, *The Survivors,* les survivants, est significatif. Mais à quoi bon survivre, si le monde est devenu inhabitable ; à quoi bon tuer ces êtres désarmés dont la faiblesse retarde la progression du petit groupe vers la mer, si la logique de la réalité (même si ce n'est pas

137

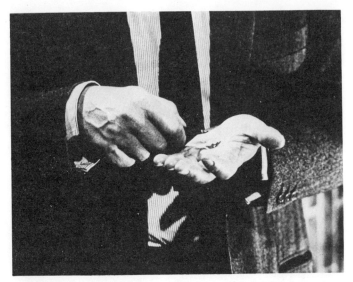

conduit à se blesser soi-même

*Faux Mouvement*

forcément celle de la science-fiction) implique, au bout du compte, la mort de tous ? Comme si elle voulait se défendre contre les espérances trompeuses de l'art, la vie impose l'interruption du tournage. Et tout se renverse subitement : ceux qui interprètent les héros de l'épisode du film dans le film sont désormais des comédiens qui ne se montrent absolument pas héroïques et qui ont du mal à se sortir d'une situation aussi insignifiante, relativement, que celle où les placent l'incertitude et l'attente.

Fritz, le metteur en scène, qui d'un côté veut absolument terminer son film, n'est pas mécontent du tout, d'un autre côté, de l'occasion que lui fournit l'interruption du tournage de réfléchir encore à tout ça. Il lui faut, à vrai dire, réfléchir à quelque chose qui va bien au-delà de ses prochaines trouvailles de mise en scène − à l'ensemble des mécanismes de la production, aujourd'hui.

On retrouve ici la structure presque classique qui caractérise les films de Wenders dans cette période : l'ouverture, qui donne, sous une forme fictive, un diagnostic précis de l'état du monde et annonce une gageure extrême ; puis le mouvement opposé de la vie, qui se révolte contre cette situation et la refuse purement et simplement. Wenders décrit en détail, en prêtant une attention pleine de tendresse à des choses qui paraissent secondaires, l'effort de ces hommes faibles, qui veulent se sortir, chacun selon son tempérament, des circonstances imprévues où ils se trouvent. Et il parvient de façon presque anodine, à faire ressembler la vie réelle dans l'hôtel détruit à la sinistre prophétie du film fictif.

Enfin, l'accélération de la situation : Fritz s'envole pour l'Amérique, pour obtenir du producteur, Gordon, qui a disparu, les moyens nécessaires pour continuer le travail. Il y a alors cette longue conversation, souvent absurde, sur le cinéma et la réalité, sur les idées et l'argent, dans le *mobile home* de Gordon qui rappelle le camion de Bruno dans *Au fil du temps,* et ce n'est sûrement pas un hasard. Après un long trajet au cours d'une nuit interminable, épuisante, ils se séparent en bonne intelligence : « *It's time for all good survivors to say goodbye.* » Mais les survivants ne survivent pas longtemps après que cette phrase a été prononcée : Gordon et Fritz, ces gens de cinéma, meurent sur l'ordre de ceux qui voulaient faire de leur film une opération commerciale.

L'œuvre de Wenders jusqu'à maintenant a ainsi fait le constat de trois morts exemplaires − au-delà de celles des personnages :

1 : La mort de la caméra *(Alabama)*
2 : La mort du cinéma *(Au fil du temps)*

L'Etat des choses (en haut à g.) – *Au fil du temps* (en haut à dr.) –
L'Etat des choses (en bas).

3 : La mort de l'artiste *(l'Etat des choses).*

Ce résultat, auquel il est parvenu au terme d'une progression cohérente, s'accorde − et à ce stade de l'enquête cela ne peut vraiment plus nous surprendre − à la recherche vaine de l'identité. C'est parce qu'il n'existait pas de lieu où il puisse réellement trouver refuge que Wenders en est venu à considérer l'art comme la dernière terre d'exil − l'art à la poursuite duquel ses premiers personnages étaient lancés, portés par l'espoir romantique que le voyage pourrait leur donner une identité et les aider à se réaliser eux-mêmes comme dans les romans de formation de la littérature classique allemande. Toute l'énergie de la vie, en lui, s'est concentrée sur ce point : conquérir au moins cette *place de résistance* *. C'est pourquoi Wenders a pris infatigablement la mesure de ce domaine − avec le même résultat négatif : l'art ne peut remplacer la vie. Au contraire : la vie, sous sa forme aliénée, mutile tous les espoirs de l'art et finit encore par ensevelir sous elle tout ce qui donne une caution à ces espoirs.

Aussi l'*Etat des choses* n'est-il pas seulement le dernier bilan (pour l'instant) que Wenders fait de ses expériences. Ce film est réellement un point final. Cela ne veut dire en aucune façon que toute évolution des thèmes ou des formes est arrêtée ; mais cela veut dire que quelque chose d'autre doit maintenant venir. Le film tire toutes les conclusions d'une évolution avec beaucoup plus de rigueur que ne l'avait fait *Au fil du temps.* Après ce film aussi, Wenders devait prendre nécessairement un nouveau départ, qui l'éloignait en apparence complètement de ce qu'il avait fait jusqu'alors. Mais on a vu, à travers l'*Ami américain,* qui est le point de départ de cette nouvelle période, que Wenders continue de développer − malgré toutes les différences − les mêmes idées fondamentales : identité du non-identique, donc l'introduction de l'idée de la mort dans la vie ; l'idéal artistique, auquel Wenders continue d'adhérer, bien que dans ses films s'affirme de plus en plus l'idée que l'art ne peut changer la vie, mais qu'il est au contraire affaibli par elle. Après l'*Etat des choses* il n'est plus question des possibilités de l'art, alors que cette idée a toujours eu chez Wenders, depuis le début, une grande portée. Le rôle de l'artiste est désormais vacant − le temps de réfléchir aux possibilités qu'il a encore d'agir sans perdre sa dignité ni son indépendance.

En un mot, il s'agit d'un nouveau départ dans des conditions

(*) En français dans le texte.

différentes. On ne peut pour le moment que spéculer sur le sujet. Mais nous tenons pourtant certains indices. Par exemple les débuts de Wenders au théâtre avec la première de *Par les villages,* de Handke. La question qui se pose à ce propos est de savoir à quel point Wenders s'est identifié à ce texte. Dans une conversation, il a dit que ce texte était « important » et que la tétralogie dans son ensemble était un « grand » texte. Il a voulu tirer un film au titre programmatique, « Lent retour », de cette tétralogie − *Lent retour, La Leçon de la Sainte Victoire, Histoire d'enfant* et *Par les villages ;* le projet a échoué pour des raisons financières, c'est vrai, mais il reste le scénario et celui-ci fournit des indications sur l'esthétique du film que la mise en scène de théâtre permettait aussi de mieux comprendre.

Le scénario s'intéresse en effet seulement au retour au pays, dans la patrie, qui est un aspect important du poème dramatique de Handke mais n'en est de très loin pas le seul − et ce serait pour Wenders revenir à des positions dont il a depuis longtemps pris la mesure. Il a au contraire indiqué qu'il avait besoin, après cinq ans, de travailler de nouveau dans et sur sa langue maternelle. Et c'est là qu'il met exactement le doigt sur ce qui constitue le nœud central de ce travail de Handke : pouvoir librement et sans *a priori* nommer les choses par leur nom, sans que l'histoire et les idéologies enferment ces choses dans une gangue.

C'est ce qui rend la pièce de Handke si excitante, bien que son centre de gravité se déplace trop fortement de la négativité vers le positif et que la solennité de son ton évoque presque un sujet sacré. Wenders a cherché, autant que possible, à retirer à la langue de Handke ce ton de célébration, il a fait qu'on puisse *dire* cette pièce, ce que l'on tenait pour impossible. Il a peu à peu concentré avec cohérence cette vaste histoire de retour au pays − qui occupe au début de la représentation toute la scène gigantesque de la Felsenreitschule de Salzbourg de haut en bas et de droite à gauche − en un seul « gros plan » − sur un seul visage. Il a de plus en plus étroitement rapproché les constellations géométriques des personnages jusqu'à ce que les spectateurs soient finalement pendus aux lèvres de Nova, qui annonce le nouveau royaume.

Une opposition obstinée s'exprime à travers ces mots que l'on comprendrait à tort comme la simple invocation pathétique d'une utopie assez floue. Car Wenders a également donné au texte de Handke dans son scénario une extrême concision. Voici la fin de son scénario : « C'est dans le vide que vous trouverez le chemin.

L'émotion bouleversante vous donnera seule un regard acéré. La forme est la loi et la loi est grande et elle vous rend courage. Le ciel est grand. Le village est grand. La paix éternelle est possible. Faites fleurir les couleurs. Tenez-vous en à ce poème dramatique. Allez sans cesse à la rencontre des choses. Allez par les villages. »

C'en est fini de ce désir qui pousse vers les grandes villes une Hester Prynne, dans l'espoir qu'elle y trouvera une vie nouvelle. Il faut chercher les nouveaux chemins dans le vide ; redécouvrir les couleurs et continuer pourtant de croire la paix possible : être éternellement contre et aller, pourtant, imperturbablement, à la rencontre de quelque chose. Ce développement peut sembler banal, voire même rabâché. Il reflète, pourtant, de façon critique, largement la position de Wenders. Car s'il fait, en tant que cinéaste, la même chose que Handke, sans recours au langage — c'est-à-dire s'il *montre* à nouveau, là où Handke *nomme* à nouveau, les choses prennent aussitôt une autre apparence. Une réflexion de Wenders, sur la façon dont il prévoyait de filmer la pièce de Handke, est significative :

« Je voudrais concevoir la pièce, par le moyen du film, de façon radicale, comme pur mouvement... Je voudrais pour cette raison employer une technique... dont je rêve qu'elle fournisse la méthode d'un film entier. Il s'agit d'une grue appelée Louma du nom de son inventeur, qui donne à la caméra... une liberté presque absolue de mouvement et lui permet d'effectuer tous les mouvements qu'on peut imaginer, horizontalement et verticalement, autour de son axe, et sur 360°... La caméra n'est plus un observateur qui suit une action et un dialogue d'un point de vue [1] déterminé, elle est un œil qui flotte librement dans les airs, le point pivot qui permettra de bouleverser de fond en comble le monde de ce film, êtres et choses. » [2]

On voit que Wenders n'a pas encore renoncé à son désir. Mais une modification fondamentale est intervenue. Puisqu'on ne fait qu'accroître l'aliénation de l'individu lorsqu'on va vers le monde et puisque cela n'a aucune incidence sur lui, apparaît alors un mouvement inverse de retrait radical de l'individu dans son

---

1. En allemand, *Standpunkt*. Wenders souligne, entre parenthèses, *Stand-Punkt*, c'est-à-dire, le point où l'on se tient, où l'on est implanté. *Standort* en allemand, c'est le domicile. (N.D.T.)

2. J'ai traduit par pivot le mot allemand *Angel*, le gond, sur lequel joue Wenders en employant ensuite l'expression *Die Welt aus den Angeln heben ; jemanden aus den Angeln heben,* c'est pousser quelqu'un hors de ses gonds. (N.D.T.)

propre moi. Le point à partir duquel le monde peut être fondamentalement bouleversé est celui où la caméra est fixée et dont elle est libérée à la fois dans une mesure jusqu'alors insoupçonnée par la Louma. Il ne s'agit plus de mouvement dans l'espace ni de l'élargissement de points de vue, mais de la liberté rendue au regard, qui peut chercher un chemin dans le vide.

Wenders a commencé, avec beaucoup de cohérence ici encore, à diriger un film qui est en même temps un journal personnel. Son regard sur le monde, libéré des contraintes d'une action, doit y revenir plus subjectif encore. Il y est naturellement encore question de l'art, des possibilités esthétiques de l'image. L'art et la vie sont désormais si indissolublement mêlés que le journal s'est transformé en une réflexion sur le travail de l'artiste. Il est question dans *Letter from New York,* tourné tandis qu'il achevait *Hammett,* du pouvoir des images dans le pays de l'industrie des images. Wenders se plaint qu'en Amérique les images font leur propre réclame et ont perdu toute dignité. Il n'est plus question de ce qu'on voit mais du fait qu'on voit. Les plans qu'il réalise sont au contraire de pures et simples protestations contre cet état de fait. Mais malgré l'opposition obstinée qui s'exprime dans le film, on ne peut pas ne pas y voir aussi une certaine résignation. Même chose dans *Chambre 666*, où des cinéastes parlent, pendant le festival de Cannes 1982, de l'avenir du cinéma.

Les perspectives ne sont pas roses, mais sans l'opposition obstinée de l'individu, sans la résistance du solitaire, tout serait depuis longtemps perdu. L'épigraphe que Wenders voulait donner au film « Lent retour » s'il avait vu le jour, aurait dû être ce mot de Paul Cézanne : « Ça va mal. Il faut se dépêcher si on veut encore voir quelque chose. Tout disparaît. » Et le film qui doit un jour naître des différents « journaux » s'appellera : *Gegenschuss* (contrechamp) [1].

Ce titre rappelle la dernière image de l'*Etat des choses* où Fritz, le metteur en scène, braque sa petite caméra d'amateur vers ceux qui l'instant d'après le toucheront mortellement de leurs balles réelles. C'est un combat inégal, celui que l'artiste mène contre la vie. Il sait qu'il perdra nécessairement ce combat ; s'il a de la chance, ce combat le rendra immortel. De ce vague espoir vient aussi une part de cette énergie qui en lui s'oppose à la vie et aide les survivants à survivre encore un peu.

---

1. Mais, en allemand, le terme *Gegenschuss* pourrait signifier également riposte. Wenders a sans aucun doute pensé aux deux sens possibles de ce mot. (N.D.T.)

## Chapitre 4

### La force des signes

« Ça va mal. Il faut se dépêcher si on veut encore voir quelque chose. Tout disparaît. » Peter Handke n'aurait pas pu trouver, pour l'œuvre de son ami Wim Wenders, une devise plus belle, plus simple, plus émouvante aussi, que cet extrait du journal de Paul Cézanne. Tout ce qui, selon Wenders, donne sa dignité à l'art est pratiquement contenu dans ces trois phrases simples : l'insatisfaction causée par l'état du monde ; le geste de sauvegarde qui ne confond pas la conservation d'une beauté fugitive avec le conservatisme ; finalement, un acte de résistance contre la marche aveugle du monde qui ensevelit ce qui ne se soumet pas à elle de son plein gré.

Depuis le début Wenders a une confiance à peu près illimitée dans le cinéma qui, pour lui, plus que tout autre média et toute autre forme d'art, peut conserver les phénomènes les plus éphémères et leur donner une survie. Dans quel but, à quelle fin ? Il ne s'en est jamais soucié. Les images prendront bien d'elles-mêmes de l'importance. C'est ainsi qu'intervient une autre sorte de confiance encore : la confiance dans l'esprit du temps (pour reprendre une formule d'Adalbert Stifter), qui continuera à donner son aura aux images une fois que l'esprit du temps, éphémère manifestation de la mode, aura disparu depuis longtemps.

Un exemple éclairera peut-être mieux la présupposition de l'esthétique wendersienne que tous les développements théoriques. Nous avions rendez-vous dans une brasserie en plein air de Munich ; c'était le lendemain de la mort de Fassbinder. Nous voulions, Wenders et moi, parler pour une fois en détail de son œuvre, ce que nous n'avions pas fait depuis des années. On n'y était encore jamais arrivé, et ce jour-là, au début ça ne devait pas aller non plus. C'était comme s'il avait eu, en face de moi, qui voulais écrire ce livre sur lui depuis son départ pour l'Amérique, une certaine réticence à se confier et à aller au-delà de ce qui était déjà exprimé dans les films. En principe j'ai le plus grand respect pour cette attitude, mais quand cela s'est produit concrètement, chez Wenders, cela m'a toujours mis hors de moi. Si Chris Sievernich, le producteur de ses derniers films, ne s'était pas joint à nous et que nous n'ayons pas pu taper ensemble sur les commissions de l'avance sur recette, qui avaient refusé les crédits pour « Lent Retour », nous aurions vraisemblablement passé une soirée pénible. A un moment donné, Wenders a disparu et est revenu avec trois doubles calvados : « A Rainer... » A partir de là, l'atmosphère est devenue joyeuse comme il se doit pour une véritable veillée funèbre.

Wim parla des débuts du Nouveau cinéma allemand ; Fassbinder et lui, qui, a cette époque-là, ne se connaissaient pas encore beaucoup, se retrouvaient alors régulièrement dans un bistrot de Schwabing où Hanna Schygulla avait l'habitude de danser seule jusqu'à une heure avancée de la nuit. On aurait dû, pensait-il, filmer cela à l'époque ; ce serait aujourd'hui un document sensationnel. Lui-même, alors qu'il était encore élève de la Filmhochschule, voulait tourner le « film des claquettes ». Avec de petits bouts de pellicule, il avait filmé ses condisciples en train de donner leur premier coup de claquette pour le film de l'école : « J'avais le tout premier coup de claquette de Werner Schroeter. Ce n'était pas une si mauvaise idée de film que ça, mais personne ne l'a prise au sérieux... »

On trouve derrière cela une idée à laquelle Wenders, apparemment, a toujours tenu : il y a toujours plus dans les images que ce que l'on voit sur le moment. Et ce « plus » n'a absolument rien à voir avec ce supplément d'art, bien connu depuis longtemps (mais qui, naturellement s'ajoute au reste) qui ajoute au phénomène considéré un sens au sein d'une œuvre. Chez Wenders, ce plus est bien davantage historique, au sens fort du terme : cette idée repose en effet sur l'espoir que l'image prendra, au fil du temps, une importance que personne n'avait pu soupçonner au moment où l'image est née. Dans le cas de ces « documents » sur Hanna Schygulla ou Werner Schroeter, cet espoir serait aujourd'hui comblé depuis longtemps : Schygulla est une star, Schroeter un cinéaste mondialement connu. L'importance des images n'aurait cessé de croître avec l'importance des personnages.

Naturellement il y a aussi dans cette idée la croyance un peu naïve en un hasard futur, qui permet de refouler l'idée, pourtant certaine, que les chances de toucher juste ne sont guère plus importantes qu'avec n'importe quel jeu de hasard. Si on tire toutes les conséquences de cette idée, il faut fixer sur la pellicule la naissance de chaque homme et ce matériau deviendrait d'autant plus important et précieux au cours de l'histoire que l'homme ainsi fixé à l'état d'innocence serait devenu finalement important.

Wenders est tout à fait conscient du caractère amateuriste de cette pensée, pourtant, celle-ci est pour lui étroitement liée à l'essence du cinéma. Car elle exprime surtout un respect fondamental à l'égard de la pure manifestation d'un phénomène – s'agirait-il d'un être, d'une chose. Et cette manifestation a déjà une valeur indépendamment de l'importance qu'elle prendra dans l'histoire – aussi bien la grande histoire que le récit. C'est dans cet esprit que le cinéma a fait ses débuts. Lumière et ses successeurs filmaient simplement ce qu'ils trouvaient d'intéressant tout autour d'eux : les trains, les fiacres, les êtres et les choses qui bougeaient. « Le cinéma a commencé comme une pratique entièrement phénoménologique... Au début il n'y avait rien d'autre que la pure restitution de la réalité. » [1]

Dans son intention de faire des films Wenders garde encore quelque chose de cette innocence : c'est la tentative de voir le monde sans *a priori*, comme pour la première fois. La forme de cette apparition est beaucoup plus déterminante que sa signification. Dans cette mesure, l'allusion aux débuts de Schygulla et de Schroeter – pour garder le même exemple – est bien autre chose qu'une manière mesquine de se donner le beau rôle *a posteriori*. Elle exprime plutôt un respect pour le phénomène particulier, pour un phénomène qui semble beau ou intéressant sur le moment, mais surtout digne d'être conservé. A cet égard quelque chose surgit sans cesse, que les héros de Wenders ont depuis longtemps perdu : l'identité. Les choses sont seulement enregistrées pour elles-mêmes, elles ne se substituent pas à autre chose, elles se suffisent à elles-mêmes, elles sont seulement là.

Mais cela veut dire aussi qu'elles ont une solidité, une assise qui les démasquent aussitôt dans le système dynamique des éléments qui sont importants aux yeux de Wenders comme limitées ou

---

1. Dawson, *ibid.*, p. 10.

dépassées. On n'a connu le bonheur de l'identité que très tôt dans l'histoire et de même le cinéma n'a connu la restitution de la réalité à l'identique qu'aux débuts de son histoire. Jusque dans la forme Wenders affronte son sujet essentiel. Il montre ce qui est perdu, le conserve sous forme de souvenir et le congédie finalement comme ce-qui-n'est-plus-vrai.

Les premiers films, particulièrement, jusqu'à *Au fil du temps,* regorgent de ces images intermédiaires : instantanés d'une dialectique en état d'inertie que Wenders, grâce à une pensée dynamique, a remis en mouvement. Dans *Alice dans les villes,* Wenders montre d'une manière vraiment programmatique les étapes de ce mouvement de la pensée. Philip Winter, qui fait des Polaroïd comme un possédé pour se prouver à lui-même qu'il a vraiment été là, se lamente du fait qu'« on n'y retrouve jamais ce qu'on a vu ». Wenders le met dans une auto, lui fait traverser une petite ville incontestablement américaine où il passe à côté des panneaux de signalisation et de panneaux publicitaires. Tandis que la voiture glisse dans la ville, une image est mise en relief par le geste qui la désigne avec insistance : un gigantesque silo sur lesquel est inscrit l'étrange nom de *Surf City.* Ça n'a apparemment aucune signification, reste cependant la désignation insistante : la re-présentation d'une certitude un peu troublante qui déconcerte Philip, déjà abattu parce qu'il se sent lui-même aliéné dans cette situation.

Il n'est pas besoin de connaître l'avant-courrier de ces signes pour ressentir leur force irritante. Dans les films du grand cinéaste japonais Yasujiro Ozu, que Wenders, comme on l'a déjà dit, reconnaît comme son seul maître, des signaux émanant de la société industrielle – cheminées d'usines, poteaux télégraphiques, emblèmes d'une entreprise et panneaux publicitaires – ne cessent de surgir comme moyens de distanciation : des images gelées qui suspendent un moment le cours de l'action, renvoient à un au-delà du cercle bien délimité de la famille qui commence à s'émietter, et qui peuvent signifier – sans acception de valeur – selon les différents personnages, une tentation ou une menace.

Wenders n'a eu connaissance des films d'Ozu qu'après l'*Angoisse du gardien de but* et il a vu immédiatement dans cette façon de faire du cinéma une confirmation de sa propre démarche [1]. *Summer in the city* apporte la preuve qu'il s'est servi de signaux et de signes de ce genre avant d'avoir découvert Ozu.

---

1. *Ibid.*

Ozu : *Fin d'automne*                    *Alice dans les villes*

même si ce n'était pas aussi systématique qu'après. Dans ce film Hans veut revoir à tout prix à Berlin cette station-service « Amoco » qu'il avait trouvée une fois par hasard et qui l'avait marqué à l'époque parce que la dernière lettre était cachée par un coin de maison. Il avait ainsi lu, au beau milieu d'une ville allemande, cette immense provocation : *« Amoc »* [1]. C'était incontestablement une image qui cadrait à merveille avec l'époque. Mais dans ce film de jeunesse, Wenders a encore besoin, pour s'en sortir, d'une explication verbale ; et lorsqu'il fait enfin voir l'image, il la montre sous tous les angles possibles au point que l'effet est manqué. Ce n'est que plus tard, particulièrement depuis *Alice*, qu'elles ont leur vraie fonction : celle d'une pensée irritante, qui brille un instant comme un éclair, sans se résorber ni déboucher sur une solution, mais qui par la suite a un retentissement inconscient d'autant plus fort.

Pourtant cette image de l'Amok allait recevoir une signification qu'il était impossible à Wenders de prévoir mais qui n'est sûrement pas pour lui déplaire, car elle apporte la preuve éclatante que de tels signes ont une composante historique. L'entreprise pétrolière Amoco était à l'époque (et elle l'est encore aujourd'hui) pratiquement inconnue en Allemagne. Mais au milieu des années soixante-dix, un pétrolier de cette entreprise, l'*Amoco Cadiz* a fait

---

1. *Amok*, la transe, la folie furieuse, qui tout à coup s'empare de quelqu'un ; le titre allemand du film de Fassbinder, *Pourquoi M. R. est-il atteint de folie meurtrière ?* est : *Warum laüft Herr R. Amok ? (N.D.T.).*

naufrage au large de la Bretagne et a provoqué la première marée noire d'Europe. Depuis lors, l'équivalence établie par Wenders entre Amoco et Amok a une signification tout autre, plus globale.

C'est là la composante historique des images, que Wenders a visée. Et pas seulement dans ces images intermédiaires, faisant office de signaux, qui malgré leur fixité momentanée ont la plupart du temps quelque chose à voir avec le mouvement : soit avec des véhicules automobiles soit avec le cinéma. Ce sont surtout les images des villes, que Wenders montre avec une richesse de détails un peu énervante, qui remplissent cette fonction. On a déjà évoqué, dans une autre perspective, la longue traversée de la Ruhr. Mais ce que Wenders accomplit dans *Alice dans les villes* semble, quoi qu'il en soit, encore déterminé par la thématique de la recherche d'une patrie. En revanche, dans d'autres films, ces trajets semblent dépourvus de sens − comme si c'était la manie invétérée d'un metteur en scène qui appréhende de faire des coupes.

Mais cette appréhension ne vaut tout au plus que pour le Wenders du début ; depuis l'*Ami américain* il franchit mers et continents sans scrupule et sans faire de manières. Il y a pourtant encore de ces traversées de lieux qui deviennent des séquences autonomes jusque dans l'*Etat des choses*, où trois personnages doivent se rendre en même temps de l'hôtel à Lisbonne et Wenders fait un tel montage de ces trois voyages effectués avec des moyens de locomotion différents qu'il s'en dégage un mouvement linéaire unique. C'est là qu'on voit d'ailleurs le plus nettement l'importance que Wenders accorde à ces « visites » privées d'une ville qui contredisent si violemment les « visites guidées ». A l'évidence, elles renvoient à un au-delà de la pure narration qui fait progresser l'action : elles sont un miroir de l'état d'âme momentané de ses personnages et un document à part entière sur l'état des villes. Les tenir pour superflues équivaudrait à une castration − analogue à celle que l'on fait subir aux films de John Ford quand on raccourcit les chansons ou les scènes de véranda.

C'est naturellement dans l'exemple le plus ancien, c'est-à-dire *Summer in the city,* qu'on voit le mieux ce changement historique. La course en taxi de Hans dans le Munich nocturne était déjà, au moment où elle se déroulait, une réminiscence historique : il vérifiait tout ce qui avait changé au cours d'une année d'absence. On reconnaît à peine ce Munich que Wenders nous montre ; aussi peu que Berlin qui était enseveli sous la neige au moment du tournage. On peut certes identifier les places et les rues, les reconnaître, mais c'est précisément ce qui exacerbe la conscience du véritable changement qui s'est produit dans l'état interne de la ville, dans son atmosphère, dans sa vitalité. C'est pourquoi Wenders va dans les quartiers périphériques ; il évite ce qu'on appelle les « sites typiques ». Dans l'*Angoisse du gardien de but,* on ne voit pas la Vienne de la cathédrale Saint-Etienne, ni dans l'*Ami américain* le Paris de l'inévitable Tour Eiffel. Il concentre son attention sur de petits hôtels, sur des buffets de gare, sur des friteries. Wenders cherche des signes, non des symboles.

C'est pourquoi, chez lui, les téléviseurs ne montrent jamais d'images. Dans la plupart de ses films les téléviseurs allumés montrent bêtement un écran sans image, il n'est pas rare non plus qu'ils soient, par dérision, empaquetés dans du plastique. Car leurs images ne véhiculent rien, elles s'agitent à la surface de la réalité et, parce qu'elles ne vont pas en profondeur, elles sont à leur tour dépassées dès le jour suivant par de nouvelles stimulations superficielles. Certes, télévision et vidéo prolifèrent irrésistiblement mais elles cachent le reflet d'une vie intense sous le miroitement de la vie actuelle. Lorsqu'on peut voir de vraies images sur écran, elles sont extraites de films : *la Petite Chronique d'Anna Magdalena Bach* dans *Faux Mouvement* et *Young Mr. Lincoln* dans *Alice.*

Ce qui définit la télévision chez Wenders c'est qu'elle manque de cet esprit de l'utopie qui fait tout le mérite de ses films. On ne la tourne pas en dérision parce qu'elle est commercialement la rivale du cinéma, mais parce qu'elle en adopte instinctivement les faux expédients et les répète à l'infini. C'est ce qui fait de la vidéo le « cancer du cinéma », comme il est dit dans *Lightning over water.* Précisément parce qu'elle va vite, qu'elle est immédiatement et partout à votre disposition, que, média idéal de l'actualité, elle est liée aux événements du jour, la télévision n'a pas chez Wenders − et ce n'est un paradoxe qu'en apparence − d'ancrage dans le temps.

En revanche, les images cinématographiques, du moins quand elles sont soigneusement composées, judicieusement montées et convenablement projetées par la suite dans l'aura d'une salle obscure, quand elles sont, au deux sens du terme, *développées* lentement et dans le souci de la vérité, contiennent d'emblée le germe immanent d'un développement à venir, précisément cet ancrage dans le temps qui leur confère des significations toujours nouvelles et les modifie tout en leur permettant de devenir toujours plus elles-mêmes. C'est là que réside chez Wenders le « plus » décisif de l'art.

C'est également ce qui donne au cinéma sa double fonction documentaire et fictionnelle, sa capacité à raconter à la fois l'histoire et des histoires. Ce partage, qui trouve son illustration dans les personnalités antithétiques des pères fondateurs – Lumière et Méliès – est intervenu très tôt dans l'art cinématographique. Non seulement Wenders ne l'accepte pas, mais sa démarche, son esthétique tout entière animée par l'espoir d'un changement, vise à abolir ce partage, mieux, à le dépasser au sens dialectique du terme. En prenant toujours le parti de l'imprévu, du surprenant – et il le fait même en construisant ses histoires, qu'il doit assez souvent modifier, arrivé aux deux tiers, pour assurer la cohérence avec ce qui a déjà été tourné – Wenders place dans ses images, dans ses films eux-mêmes, le germe de suprises ultérieures ; et c'est ainsi qu'il réconcilie les termes opposés, le document et la fiction. Puisque, au fil du temps, de nouveaux aspects s'associent d'eux-mêmes, pour ainsi dire, aux images documentaires, celles-ci se chargent petit à petit d'une histoire sans que le metteur en scène ait à intervenir dans le sens de la fiction. Et puisque, par ailleurs, les récits, la fiction née de l'imagination trahissent forcément, même des années après, la marque indélébile de leur date et de leur lieu de naissance, ils acquièrent petit à petit l'épaisseur d'un document du passé.

Cette constatation, peut-on objecter, est une lapalissade, parce qu'elle pourrait s'appliquer au fond à tous les films de qualité – non, à tous les films, même aux plus médiocres. Même dans le plus négligeable des westerns tourné au début d'Hollywood, même dans le plus lamentable des films à l'eau de rose de la période de redressement qui suivit la guerre en Allemagne, on peut relever des éléments qui excèdent de beaucoup la qualité du film considéré. Sans exagérer, on peut donc constater que cette dialectique du document et de la fiction, promue chez Wenders au rang d'attribut distinctif du fait particulier, relève de l'essence de l'art cinématographique et de l'art en général. La différence – c'est décisif chez Wenders – c'est qu'il ne se contente pas de considérer passivement cet attribut essentiel du cinéma comme le « destin » de ses films, mais qu'il en a délibérément fait depuis le début une composante active de son travail, incorporée au projet de sa création.

L'ajustement parfait des résultats qu'il obtient grâce à ses moyens stylistiques et thématiques n'est pas seul à plaider en faveur de cette thèse. Pour que tout cela fonctionne véritablement, il faut qu'intervienne encore un facteur décisif : l'abstraction ; plus exactement la réduction au moyen de quoi une simple copie de la réalité devient un signe où se manifeste l'essence de ce qui a été copié. Une telle entreprise ne va pas de soi, on ne peut pas y parvenir par un simple volontarisme. Dans cette réduction se manifeste sans aucun compromis la perspective personnelle d'un metteur en scène. Dans ce domaine on aura immédiatement les preuves de toutes ses tricheries, car la position de la caméra devient prise de position à l'égard de la réalité.

La force des signes chez Wenders demande deux conditions préalables : d'une part il faut savoir avec certitude à chaque fois où se tient l'essence de ce qui est à copier, et, d'autre part, courir le risque de renoncer à la beauté. Ces deux conditions sont étroitement liées. En effet, s'il était possible de donner à l'essentiel la concrétisation de la beauté, cette perfection à laquelle tendent tous les films de Wenders et dont ils constatent en même temps le caractère inaccessible serait déjà atteinte. La beauté n'a de vérité qu'en tant que promesse, non en tant que fait. C'est pourquoi — et c'est surtout vrai des sujets de Wenders — ce qui est encore inachevé, les choses « pas belles » portant la souillure de la réalité doivent aussi, essentiellement, être visibles.

Wenders s'est livré à une réflexion sur cette question dans le commentaire qu'il a fait sur *Lightning over water,* et de manière significative à un stade de l'entreprise où plus personne ne savait vraiment comment les choses allaient continuer : « Les hésitations dont j'ai été la proie au bout d'un moment au milieu de toute cette confusion et toutes mes peurs inconscientes m'ont amené à faire des images qui ne me plaisaient pas... Quoi qu'il en soit, le film dans l'ensemble avait l'air propre, beau, fignolé. Je crois que c'est purement et simplement le produit de la peur. C'est précisément ce qu'on fait quand on ne sait pas précisément ce qu'on veut montrer. Puis on essaie de faire en sorte du moins que ça paraisse beau. »

Que la beauté, qui doit forcément être une beauté fausse dans une vie fausse, si l'on prend au sérieux la promesse utopique de la vraie beauté — que la beauté donc doive encourir de nos jours le reproche d'être jugée trop léchée n'est pas nouveau. Ce qui est nouveau par contre, c'est l'explication de Wenders selon qui la raison d'une telle beauté bien léchée est à chercher dans la peur, dans l'incertitude angoissée de celui qui n'a plus la certitude de savoir où est l'essentiel. Celui-ci dissimule alors derrière l'apparence du beau le fait qu'il a rompu avec la cohésion du sens, et la beauté devient alors un simple reflet, l'ersatz du vrai.

Naturellement cette beauté est difficile à définir. Qui voudrait nier qu'il y a chez Wenders des images merveilleuses qu'on pourrait regarder des heures durant avec « une satisfaction désintéressée » pour reprendre la description que donne Kant de l'indescriptible beauté considérée comme sentiment ? La fin d'*Alice* est tout simplement « belle », de même que la promenade dans les dunes au début de *Faux Mouvement*. Dans *Au fil du temps* il y a des panoramiques sidérants du paysage, et les prises de vue de la place de Hambourg où se trouve, dans l'*Ami américain,* la maison de Jonathan pourraient également être admirées comme photographies.

Pourtant dans aucun des exemples cités − et on pourrait en citer d'autres − la beauté n'est abusivement utilisée comme sa propre fin. Ces plans sont toujours imprégnés de l'atmosphère générale du film. A chaque fois, ils définissent comme quelque chose d'extérieur l'état d'esprit d'un personnage. Et c'est pourquoi il y a toujours dans les images ce « plus » déterminant qu'on ne pourrait pas leur retirer en les observant isolément. Peut-être est-ce un hasard, mais dans les quatre exemples cités la caméra est en mouvement.

Par contre dans les trois cas que je voudrais citer à titre de contre-argument, elle est immobile. Il y a trois plans chez Wenders qui m'ont toujours gêné, qui m'ont fait vraiment tiquer la première fois que je les ai vus, parce que je les ai vraiment ressentis, d'un point de vue idiosyncrasique, comme faux : ce sont le ciel rouge au-dessus de Paris (l'*Ami américain*), la caméra tournant sur elle-même dans la jonque (*Lightning over water*) et le coup de feu tiré vers le haut, à la perpendiculaire, qui traverse deux planchers de verre dans la bibliothèque (*Hammett*). Ces images ont toutes les trois une beauté figée qui les glace comme des tableaux et bloque ainsi tout élan de pensée vers un au-delà de l'image. Cela tient en bonne part au fait que les trois plans sont manipulés − soit par une redéfinition de la couleur opérée après coup, soit par un décor quelque peu esthétisant ou par des décors de studio compliqués qui réclament de surcroît un angle de vue parfaitement aberrant. Quelque chose de vrai perce bien sûr aussi sous cette beauté élaborée : on ne parvient de nos jours à la « pure » beauté que par manipulation − et pour cette raison précisément, la « pure » beauté ne peut plus faire oublier les stigmates du faux et de la facticité manifeste.

*L'Ami américain* (en haut à g.) — *Lightning over water* (en haut à dr.) — *Hammett :* trois exemples de beauté manipulée.

Il faut bien avoir en tête ces quelques fautes pour pouvoir correctement apprécier la véritable performance de Wenders. Instinctivement Wenders a toujours été effrayé par la reproduction du beau naturel qui tourne aujourd'hui forcément au *kitsch*. C'est tout à fait manifeste dans les peintures qu'on trouve dans les hôtels et dans les films publicitaires ; dans ce cas, le désir du beau, qui trouve son archétype dans la nature, a couru à sa perte. Mais ce désir est par ailleurs un besoin élémentaire. Celui qui ne convoite plus la beauté s'est résigné à l'état du monde tout autant que celui qui cache le manque par des subtilités fallacieuses. Robby Müller, qui a dirigé la photographie dans tous les films de Wenders jusqu'à l'*Ami américain,* a relevé cette contradiction entre le besoin de la beauté et la fausseté de la beauté dont il faut être conscient pour pouvoir élaborer un style responsable : « Je ne pense... jamais : bon, il faut maintenant que ça devienne une image formidable. Car on ne pourrait plus avancer d'un pas. Et de temps en temps j'oublie encore une fois tout cela et je tourne une belle image simplement parce qu'elle est belle. En tournant un film de Wenders, pour donner libre cours à cette envie de faire de belles images, nous avons introduit le « magasin d'art ». A chaque fois que nous avons trouvé quelque chose qui est trop beau ou dont la beauté n'était plus utile au film, on mettait le magasin sur la caméra et on faisait de l'art. En toute conscience, car ce n'était pas pour le film, ni non plus pour un autre. » [1]

On pressent que la beauté n'est « pas utile » aux films de Wenders quand on a ses sujets en tête. Mais ça n'explique encore rien — en tout cas pas la peur qui fait irruption avec la beauté bien léchée, selon les propres dires de Wenders. Adorno a supposé le contraire et constaté que le beau libère de la peur : « L'image du beau, en tant qu'image de l'un et du distinct, apparaît avec l'émancipation de la peur devant la totalité écrasante et l'opacité de la nature. Cette terreur devant la nature est sauvée par le beau qui l'intègre en vertu de son imperméabilité vis-à-vis de l'existant immédiat et en établissant une zone d'inaccessible ; les œuvres deviennent belles en vertu de leur opposition à l'existence. » [2]

1. Horst Wiedemann, *Stil ist der Tod der Kamera* (le style, c'est la mort de la caméra). Un entretien avec le cameraman hollandais Robby Müller dans *Film und Ton Magazin,* avril 1977, p. 64.
2. Theodor W. Adorno, *Théorie esthétique, op. cit.,* p. 74.

La contradiction n'est qu'apparente. Robby Müller a confirmé que pour Wenders le beau naturel est un tabou ; il ne le brise que pour s'accorder une satisfaction de substitution, mais seulement à la condition de ne pas s'en servir pour son travail. Pourtant il a continué d'éprouver devant le beau naturel un sentiment d'horreur, comme devant un aspect puissamment mythique qui rapproche le beau du mythe de la patrie et du désir d'identité. Ainsi les images, plus précisément la peur de certaines images répète la thématique essentielle des films de Wenders : un tabou pèse sur la beauté, une interdiction des images, portant pour ainsi dire sur un domaine sacré du monde extérieur, qui correspond à ce « creux » intérieur dont nous avons déterminé les contours au moyen des concepts de réalisation de soi et de refus. Il subsiste certes ce désir, invoqué par Handke dans le court-métrage *Trois Trente-Trois Tours américains,* d'une totalité qui n'existe pas dans « l'existant immédiat », c'est-à-dire dans la nature, mais seulement dans « l'existant médiat », dans le monde civilisé, c'est-à-dire non naturel, tel que l'histoire et la société l'ont produit. Et même dans ce cas, ce désir n'apparaît que mutilé : comme une réduction, un vide.

C'est pourquoi la peur de l'inaccessible est toujours battue en brèche chez Wenders par la référence à une destruction anticipée. Mais son opposition à l'existence prend deux aspects : il a besoin du mouvement formel pour invoquer la nécessité de la recherche inlassable, comme preuve à produire contre le caractère toujours identique de la vie inauthentique ; et il a besoin des signes figés de la technique, sans laquelle il n'est point de mouvement saisissable, pour mettre en lumière l'impossibilité de son entreprise contre la civilisation. C'est précisément dans la beauté prétendument intacte de la nature que la présence de la société destructrice est toujours le plus manifeste. On pourrait énumérer des dizaines d'exemples empruntés à tous les films.

En revanche les tentatives pour se démarquer du monde extérieur et pour résoudre intérieurement la contradiction sont timides ; d'ailleurs elles échouent elles aussi. Les deux villas dans *Faux Mouvement* et dans l'*Etat des choses* sont déjà remplies de matériaux qui serviront à leur réfection, pour que les carcasses inachevées deviennent de paisibles maisons où passer ses vieux jours ; dans la villa de Ripley à Hambourg tout est encore emballé dans du plastique. Wenders ne nous laisse aucun doute, aucune des trois maisons ne sera jamais terminée. Leur état actuel est d'autant plus déprimant. Même l'appartement saccagé de Ham-

Appartements inachevés en tant qu'états d'âmes : *Faux Mouvement* (en haut à g.) − *Hammett* (en haut à dr.) − *L'Ami américain* − *L'Etat des choses* (en bas à dr.)

mett correspond, à cet instant du film, à l'état d'esprit de ce dernier.

Cette contradiction irréductible, dont on a trop longtemps vu seulement l'aspect utopique et positif, recèle la véritable source où les images de Wenders puisent la force de leur réalisme. C'est précisément parce que ses images montrent toujours les deux aspects − le naturel et l'artificiel, le mouvement et le figé, le désir de quelque chose d'autre et l'impossibilité de le réaliser −

qu'aucune n'est jamais tout à fait elle-même. A aucun moment on ne nous fait croire à une identité quelconque. Pour cette raison il n'y a pas de beauté en soi ; mais la contradiction qui l'interdit permet le réalisme. On ne doit pas confondre un tel réalisme avec la fidélité naturaliste à la réalité. Car ce qui précède nous fait bien voir à quel point ces images sont « fabriquées », composées de manière très élaborée. C'est d'ailleurs cela aussi qui définit l'opposition du cinéma et de la vidéo ; Wenders a horreur de l'enregistrement de ce qui se trouve simplement là, bien qu'il soit toujours à la recherche d'« *objets trouvés* » * opportuns. Mais il ne les utilise jamais tels qu'il les trouve.

A ses débuts, que l'on pourrait définir par l'utilisation des longs plans, il regarde ses objets jusqu'à ce que leur sens originel se soit changé en son contraire. Dans *Summer in the city* par exemple, il fait tellement traîner en longueur une partie de billard qui apparemment « amuse » Hans que le dilettantisme du jeu finit par révéler dans ce passe-temps les stigmates de l'ennui et du désarroi. Dans *Alice* on confronte la vue d'origine et la copie qu'en donne le Polaroïd et dans *Au fil du temps* Robert contrefait le Christ mort, sans croix – avec un tout autre résultat. Dans l'*Etat des choses* enfin, Fritz est confronté à sa propre carrière telle qu'elle est conservée dans la mémoire de l'ordinateur de Gordon. Ce ne sont que des exemples arbitraires, plus ou moins significatifs, mais qui ont tous en commun ceci : un personnage est à chaque fois confronté avec une image de lui qui ne correspond pas à l'idée qu'il se fait de lui-même.

Il s'ensuit que les personnages – et c'est un signe distinctif du réalisme de Wenders – ne sont pas caractérisés par leur psychologie mais par les choses qui les entourent, par ce qu'ils font. Wenders définit leurs contradictions internes de l'extérieur – c'est-à-dire avec des images. De même que tous ses *travellings* sont des déplacements au milieu d'un paysage intérieur, de même ses différentes images sont composées pour traduire un état d'esprit. Dans l'*Etat des choses,* il y a une séquence qui montre tous les personnages de l'équipe cinématographique tuant le temps, seuls ou à deux, dans leur chambre, essayant de maîtriser leur inquiétude. Au début de la séquence, le caméraman Joe se fait dire l'heure par son réveil parlant. Puis Wenders passe les chambres en revue. A la fin, il est de nouveau chez Joe dont le réveil annonce précisément la minute suivante. La durée du récit

---

(*) En français dans le texte.

Pénétrer dans les villes par un tunnel comme dans une femme (*Alice dans les villes* et *Letter from New York*) (en haut).
Prendre de la hauteur au sommet de symboles phalliques (en bas).

est environ de six ou sept minutes ; mais la durée réelle de ces épisodes n'était que d'une minute. Chez Wenders, aussi bien le temps que l'espace ont une composante psychique évidente qui trouve le plus nettement à s'exprimer dans les *travellings* caractéristiques empruntant des tunnels pour pénétrer des villes, des lieux étrangers.

Chez Wenders — et c'est typique dès l'*Angoisse du gardien de but* et même dès *Summer in the city* — les personnages sont construits à partir des images qu'il en fait et qu'il confronte à ces images qu'ils se font d'eux-mêmes. En bref, Wenders montre les personnages mais il ne les explique pas ; il livre des représentations mais ne divulgue pas leur signification. C'est l'affinité de Wenders avec Ozu, qu'il admire, « parce que sa manière de raconter les histoires repose exclusivement sur la représentation »[1], c'est-à-dire que les personnages se représentent eux-mêmes, ils ne font pas que délivrer un message contenu dans le scénario.

On se trompe à peine en expliquant les difficultés que Wenders a eues à Hollywood par l'importance que possède là-bas le scénario, que le metteur en scène (lié par contrat) n'a plus qu'à « transposer ». Wenders a toujours laissé le champ libre à ses personnages dans les films qu'il contrôlait entièrement − au risque d'être obligé de changer son propre scénario ou de devenir son propre producteur pour faire face aux frais supplémentaires entraînés par la poursuite du tournage. Quelque chose de très important apparaît ici : Wenders est prêt à donner une vie autonome à ses personnages, quitte à sacrifier ses propres intérêts à court terme. Ce défi qu'il lance lui permet de les observer. Lui − et plus tard les spectateurs − les regardent s'employer à vivre. C'est ce que désigne le terme de « représentation ». Les interprètes et la représentation[2] produisent des images qui donnent à la fin un tableau d'ensemble que le cas de figure idéal ne pouvait pas laisser prévoir.

Naturellement, c'est une représentation quelque peu grossière des pratiques en usage dans le cinéma disposant de grands moyens et des compétences du metteur en scène. Il y a aussi des dilettantes qui filment tout ce qui passe devant la caméra ou tout ce que leur proposent les comédiens, avec l'espoir qu'il en sortira bien quelque chose sur la table de montage. Il ne sera pas question d'eux ici. Tous ceux qui ont un jour travaillé avec Wenders insistent au contraire sur le fait qu'il se représente toujours très précisément les choses et, lorsque ce n'est pas le cas, qu'il préfère annuler toute une journée de tournage plutôt que de faire des expériences au petit bonheur la chance.

Ce qui est en cause, si l'on veut comprendre l'importance de celui qui représente, c'est l'attitude esthétique fondamentale qui commande la réalisation d'un film. Wenders, qui, dans ses films,

---

1. Dawson, *ibid.*, p. 10.
2. En allemand, *Darsteller und Darstellung,* l'interprète, celui qui représente, et la représentation.

est constamment en quête d'une connaissance de soi-même, a toujours préféré dans ses œuvres très personnelles les « interprètes » aux comédiens professionnels. Hanns Zischler a défini ainsi la différence : « Je ne suis pas un comédien professionnel, je suis parfois un interprète, mais jamais un comédien. Je place entre les deux une ligne de partage fondamentale. Les comédiens sont par leur formation en mesure d'assimiler et de déployer un large spectre quelle que soit la forme de la fiction. Mais cela suppose une espèce d'affinité, peut-être aussi de subordination à certaines orientations de mise en scène, qui doit aller très loin. L'interprète, par contre (...), s'exerce plutôt à incarner des sentiments (...). Du fait qu'il ne va jamais aussi loin dans son élaboration que le comédien, il a toujours un rapport distancié au personnage, le personnage est montré autrement. On remarque bien que l'interprète ne se résorbe jamais entièrement dans son personnage, il reste quelque chose de lui-même. » [1]

Contrairement au comédien, l'interprète fait entrer dans l'histoire une part de caprice qui doit faire réagir le metteur en scène, dresser de l'imprévu sur sa route et servir à réamorcer son imagination. Au fond, le mélange de document et de la fiction se répète même à ce niveau-là. L'interprète joue quelque chose de fictif parce qu'il interprète un autre personnage, et c'est un document sur sa propre personnalité parce qu'il traîne avec lui un restant de lui-même. Dans le scénario de l'*Ami américain,* il y a une note très significative de Wenders : « Pas de comédiens ! Des êtres qui puissent se montrer eux-mêmes. » Pour tous ceux qui aiment les films de Wenders, il ne fait aucun doute que les meilleurs de ses films sont ceux où il a travaillé avec des interprètes : ce ne sont pas seulement ses films les plus personnels et les plus originaux, mais ce sont aussi ceux qui libèrent avec le plus de spontanéité l'imagination du spectateur.

Il s'agit essentiellement de savoir comment la réalité se représente elle-même. Wenders n'a rien d'autre en vue quand il dit qu'il ne peut être question d'exploiter les personnages, c'est-à-dire de simplement plier le comportement humain aux trouvailles du scénario, et de mettre à profit , dans toute la mesure du possible, l'art de feindre propre au comédien, mais qu'il s'agit seulement de faire preuve de compréhension à leur égard [2].

---

1. Fritz Müller-Scherz/Wim Wenders, *Im Lauf der Zeit.* Fotoscript, Dialog-Buch, Materialen, Zweitausendeins, Francfort, 1976, p. 10.

2. Cf. Wim Wenders, *Nashville, ibid.*

C'est cette compréhension qui décide de l'attitude d'un metteur en scène et qui permet de déchiffrer sa morale esthétique. Car ce n'est plus tant ce qui est représenté que la manière de représenter qui a une importance décisive. On peut montrer les pires choses, l'abjection humaine, la vulgarité, même le meurtre — si l'on aborde tout de même les personnages « avec sollicitude, attention et sensibilité », alors on montre également « qu'il aurait pu en être autrement »[1]. Alors les images ne sont pas une confirmation de ce qui existe, elles ne soulignent pas ce qu'elles montrent mais au contraire : « Tout est susceptible de changement, tout est précaire. »[2]

Cette attitude à l'égard des interprètes trouve son prolongement dans le traitement des lieux de tournage. Ils sont pour Wenders beaucoup plus que des coulisses pour les personnages. Dans ces lieux de tournage on retourne vers l'extérieur ce qui se produit à l'intérieur des personnages. Au sens strict ce sont des paysages de l'âme. Ils ne prennent pourtant jamais chez Wenders une tournure expressionniste, alors que la tentation est proche, ils ne dégénèrent jamais en paysages d'art. Même lorsque la réalité signifie pétrification et rage de détruire, et que Wenders le déplore, il manifeste du respect à l'égard de celle-ci, sans pour autant en cautionner les conséquences. Même alors la copie de ce qui existait déjà antérieurement n'est jamais pure confirmation, mais plutôt un choix thématique scrupuleux qui intensifie une situation donnée, et, en la commentant et l'interprétant, lui ouvre des horizons — et qui parfois aussi, quand c'est nécessaire, punit, il est vrai, le mensonge.

Robby Müller a qualifié cette attitude à l'égard des lieux de tournage — mais comment pourrait-il en être autrement ? — de réaliste : « Je ne veux pas dire par là que j'essaie de tout faire aussi vrai que possible. Mais j'ai remarqué que je prenais énormément de plaisir à régler les éclairages en restant fidèle à la lumière naturelle et en la respectant. Je n'impose donc pas ma volonté à la nature pour rendre celle-ci plus belle ou plus intéressante qu'elle ne l'est en réalité (...). L'option "réaliste" est liée à autre chose encore. Je n'ai presque pas fait de production à grand budget en Allemagne, par conséquent on tourne *in situ*. Et c'est le metteur en scène qui a choisi le motif, le lieu où la scène se déroule. Maintenant ce serait bête de changer la lumière car en choisissant

---

1. *Ibid.*
2. Wim Wenders, dossier de presse de l'*Ami américain, op. cit.*

tel motif le metteur en scène a aussi opté pour une certaine lumière. Ou quand le décorateur ou l'accessoiriste utilise tel lampadaire ou telle suspension, pourquoi irais-je faire une lumière qui les contrarie si je trouve les lampes qui existent déjà bien choisies ? » [1]

Cette lumière naturelle à l'influence de laquelle le cameraman se soumet pour l'intensifier au lieu de la modifier, est devenue la marque distinctive des films de Wenders. Qui cherche dans sa mémoire des images tirées de l'œuvre complète de Wenders se souviendra très probablement en premier d'images tirées des films en noir et blanc. Ce n'est pas tellement lié au fait que les quatre films en noir et blanc − *Summer in the city, Alice dans les villes, Au fil du temps* et l'*Etat des choses* − passent pour les « véritables » films de Wenders, les plus personnels et les plus forts. Que ces films soient plus chargés d'émotion que les six films en couleurs se rapporte plutôt à cette constatation que fait le cameraman Joe dans l'*Etat des choses* : « Black and white is more realistic ».

En tout cas chez Wenders ses images en noir et blanc sont plus réalistes que les couleurs « vivantes » parce qu'elles sont plus quoditiennes, plus grises et aussi plus fades. A première vue, elles font souvent l'effet de prises de vue effectuées par un amateur : peu contrastées, sans aucun effet. Mais c'est précisément l'intention de Wenders. Sa lumière est tellement éteinte qu'on ne la voit pas du tout. Quelle différence avec les films américains de série A où les contours reluisent et les yeux brillent ! Quelle différence avec *Effi Briest,* de Fassbinder où l'espace est continuellement saturé de lumière au point qu'on voit à chaque instant la mise en scène, l'artefact et même les efforts. Rien de tel chez Wenders. Ses films rappellent plutôt les westerns de série B (surtout ceux d'Anthony Mann), et le film noir, Antonioni (sans être aussi distingués) ou Bresson (sans être aussi obstinés).

Les images de Wenders ont la surface poreuse, quelque peu rêche de la réalité. Mais en revanche, on y sent l'odeur de la neige humide de Munich ou de la neige sèche de Berlin *(Summer in the city),* la suie de la Ruhr *(Alice),* la poussière d'été et la pluie d'été dans la province allemande *(Au fil du temps),* l'air salé de l'Atlantique ou le *smog* épais des villes portugaises *(l'Etat des choses).* Ce qui nous semble d'abord un manque, un manque de

---

1. *Horst Wiedemann, ibid.,* p. 64 *sq.*

beauté et de virtuosité, produit précisément ce « plus » de l'art qui ajoute, dans le cas présent, la nudité du réel à la sincérité esthétique.

Cette sincérité, pour être honnête, je ne l'ai jamais sentie aussi nettement dans les films en couleurs. Mais c'est peut-être à rapprocher du fait que, à l'exception de *Lightning over water,* ce sont tous des adaptations d'œuvres littéraires ; que, par conséquent, la réalité qu'ils essaient de retracer a déjà eu, en un certain sens, sa forme préalable. D'un autre côté – et ça pourrait être, à vrai dire, une contradiction – une couleur assez proche de la vie rend le représenté plus important que la représentation. Il arrive parfois que l'absence d'effets voulue par Wenders, particulièrement dans ses premiers films, aille pour cette raison jusqu'à la banalité qui, à son tour, contraste fortement (surtout dans les deux adaptations de Handke) avec la vivacité littéraire voulue des dialogues.

Depuis l'*Ami américain* Wenders a, il est vrai, davantage de difficultés avec la couleur. Etant donné que depuis ce moment-là les voyages n'ont plus pour lui la même signification qu'auparavant, que les villes et les continents sont devenus pour lui une gigantesque accumulation de lieux de l'action, la couleur prend la relève. L'irritation que l'on ressent au début à passer brutalement de New York à Hambourg tient essentiellement à l'emploi du même bleu-vert. Cette couleur évoque un rapport entre deux villes qui n'ont absolument aucun rapport et provoque un sentiment de froideur ; on fait reproche de cette froideur au film dans son ensemble et on y voit à tort un parti-pris du metteur en scène. Mais le rouge, signal du danger, ne cesse de fuser au milieu de ce bleu-vert froid – ce qui produit une tension presque névrotique qui cadre bien avec le sujet. L'intensité du bleu et du rouge transforme ce sujet – les problèmes de Jonathan – en une confrontation d'une très grande force émotionnelle, entre la froideur et la passion.

Il en va de même pour *Lightning over Water,* bien que les couleurs soient dans ce film, plus ternes, plus automnales, plus funèbres. On ne peut absolument pas imaginer en noir et blanc ce film qui resserre vertigineusement la trame du document et de la fiction, au point qu'il est à chaque instant à deux doigts de la catastrophe. Le noir et blanc lui donnerait une dureté proche de la brutalité. La couleur n'a pas pour fonction cependant de faire paraître l'ensemble sous un jour plus doux, mais d'accentuer l'aspect fictif de toute l'entreprise de Wenders.

En allant jusqu'au bout de cette idée, on parvient forcément à déterminer – d'une façon un peu sommaire peut-être mais qui n'est pas dénuée de toute vérité – pourquoi Wenders se sert de la couleur ou du noir et blanc pour tel ou tel sujet. Il n'y a pas de contradiction dans le fait que, pour Wenders, la couleur soit liée d'une part à la vie, d'autre part à la fiction, car les deux aspects sont complémentaires. La vie n'aurait de couleur, au sens figuré, que comme fiction ; la fiction, en tant que telle, est le pressentiment d'une vie meilleure considérée comme impossible. Et la mort serait alors plus que la seule fin d'une vie particulière : elle serait en effet l'échec (provisoire) de la fiction devant le réel, la fausse vie.

En revanche le réalisme dans les films en noir et blanc consisterait principalement, sinon à s'accommoder des insuffisances de la fausse vie, du moins à en venir à bout sans trahir sa dignité et son propre désir. Les films sont également réalistes en ce sens qu'ils font mûrir les personnages en fonction des événements – ce qu'il ne faut pas confondre avec la confirmation de ce qui existe – au lieu de montrer l'échec de leur résistance. *Faux Mouvement* mis à part, il n'y a que les films en noir et blanc qui soient des romans de formation.

Il n'est pas contradictoire d'affirmer que Wenders voulait coûte que coûte tourner *Hammett* en noir et blanc. Qu'il ait dû se plier aux exigences de Coppola ne signifie rien. Car il s'est servi de la couleur comme Melville dans ses films : *black and white in colour*. Il est incontestable que *Hammett* aurait également dû devenir aux yeux de Wenders un roman de formation. Ce qui plaide en ce sens, c'est que, jusqu'à la fin, malgré d'innombrables tentatives et versions, il n'y avait toujours pas d'épilogue. Wenders voulait laisser la question en suspens et faire dépendre la solution des expériences vécues qui se feraient en cours de tournage. Ce qui plaide également en ce sens, c'est que Wenders, enfin, avait pour une fois un personnage principal qui écrivait vraiment, réalisait son rêve juvénile de faire de l'art. Un argument fictif coïncidait avec un itinéraire réel qui semblait, avec cette première mise en scène hollywoodienne, réaliser le rêve du petit cinéaste allemand.

Dans l'*Etat des choses* – et tout cet exposé montre que ce film n'aurait pas pu être tourné autrement qu'en noir et blanc – Wenders a fait de ce débat sur la couleur et le noir et blanc le principal différend entre Fritz et Gordon – par conséquent on peut supposer que ce fut aussi pour Wenders une question essentielle au sein de la réalité hollywoodienne. Gordon traite

Fritz de *fucking deaf-mute German*, un sourd-muet à qui la langue a manifestement fait faux bond au cœur des rêves industriels, qui ne sait plus où il en est, qui a perdu la faculté de voir et d'entendre, excepté dans les moments où ses films, qui lui ont jadis appris à entendre et à voir, ont vu le jour. Pour Wenders ce dut être une preuve supplémentaire, particulièrement douloureuse, que la vie reste loin derrière la fiction ; qu'il est ô combien important de préserver l'intégrité de l'art de la fausse vie — fût-ce au prix (involontairement payé) de cette vie.

Les deux versants de l'esthétique de Wenders — c'est-à-dire le document et la fiction, le noir et blanc et la couleur — se rejoignent à nouveau. La synthèse est dans le parti pris de la caméra. Comme chez Ozu, elle se fait chez Wenders par l'intégration du personnage et de l'événement, de l'individu et de l'*Umwelt* (le lieu de l'action), et, grâce à la composition de l'image de la vie et de l'art. Wenders a depuis toujours préféré les focales courtes. De cette manière, comme l'a expliqué un jour le cameraman Joseph Biroc dans une *interview* télévisée au cours de l'émission *Schaukasten,* « on a toujours le monde entier, même sur un gros plan ». C'était déjà important dans les premiers films, quand il fallait, lors des nombreux plans tournés dans d'étroites voitures, que les lieux de l'action semblent être à l'intérieur. Bien que, d'une part, Wenders ait toujours procédé de manière très académique, par l'*establishing shot,* le champ-contre-champ, les courtes focales, grâce à leur pouvoir d'intégration, lui ont permis de faire l'économie des coupes franches qui auraient bouleversé son rythme lent, ce patient gestuel de l'attention qu'il porte au monde. A la fin de l'*Etat des choses,* Fritz se souvient de cette manière de faire : « *I made ten movies, you know, Gordon ? I mean ten times, or several times, it was the same story I was telling. In the beginning it was easy, cause I juste went from shot to shot.* »

Plus tard, lorsque les *schock-cuts* [1] remplacent les longs *travellings* et les enchaînés, lorsque les signaux de la couleur ont fait refluer la psychologie extériorisée dans les lieux de l'action, les liens imaginaires entre les plans sont devenus de plus en plus importants. Quoique le montage cinématographique à l'ancienne, avec sa nervosité, ne convienne pas du tout au genre réfléchi de Wenders, celui-ci a de plus en plus fréquemment recours à ses méthodes. Etant donné qu'il conçoit de plus en plus la fiction

---

1. Coupes franches.

comme une part de réalité, fût-elle utopique, il peut s'attacher de plus en plus aux contradictions de la réalité, et laisser au spectateur le libre usage de ce moyen de connaître qu'est à ses yeux la fiction.

Le cinéma de Wenders est, de ce fait, devenu sans cesse plus complexe ; mais Wenders n'a pas été contraint à cette complexité nouvelle, qui possède, elle, une profonde signification, par la prétendue profondeur des thèmes. Car la surface de la réalité est toujours aussi simple que la description du petit garçon de la gare à la fin d'*Au fil du temps*. Ce sont les liens entre les détails qui sont devenus difficiles et complexes. Car le cinéma de Wenders – et ce sera le dernier parallèle avec Ozu – a été une infinie et incessante accumulation d'expériences vécues après qu'il eut fixé très tôt ses domaines thématiques de prédilection. Les thèmes évoluent certainement aussi, le domaine prend de l'extension – mais ce n'est pas déterminant. Par contre, il est déterminant que, au fur et à mesure que l'expérience devient plus grande, tant dans le domaine de la vie que dans celui du métier, les résultats se font à la fois plus complexes et plus transparents.

C'est un processus que l'on peut suivre à tous les niveaux du métier. Pour finir, évoquons le son. Il va presque de soi que Wenders, étant donné son attitude vis-à-vis de la réalité, n'emploie que le son direct. Même dans le cas de *Summer in the city,* dont la bande sonore est bousillée, il n'a pu se décider à renoncer au son direct, bien qu'il soit presque inaudible. A mesure qu'il maîtrise mieux ses moyens, Wenders intègre aussi la musique au son direct ; elle n'est plus seulement ajoutée après coup – l'exemple le plus frappant en est naturellement, dans *Au fil du temps,* où la musique, comme dans les premiers films de Jean Renoir, est toujours donnée à voir, le moment où Bruno met un nouveau disque. Wenders a élargi ces possibilités jusqu'à la richesse incroyable de la bande sonore multipiste.

Il en va de même pour l'utilisation de différentes langues. Wenders, vraiment polyglotte lui-même, a commencé, timidement encore, à introduire ce procédé dans *Alice.* L'emploi de trois langues dans la version originale de l'*Ami américain* n'est pas pour rien dans l'attrait spécifique qu'exerce ce film. Car, comme chez Rossellini, qui est parti du même principe, le sentiment d'une réalité authentique prend corps avec une force inhabituelle, du fait que les gens, lorsqu'ils parlent leur langue maternelle, le font couramment, mais en hésitant dans le cas d'une langue étrangère, ou avec un accent qu'on ne peut manquer d'entendre. C'est précisément ce que Wenders avait en vue : ce mélange des tonalités qu'on ne peut obtenir autrement. Il ne s'agit pas pour lui d'être puriste mais de conserver la même morale de l'honnêteté vis-à-vis de la réalité.

Et vis-à-vis du travail, car le cinéma est un métier, un métier honnête. Wenders, avec une obstination désuète, ne renonce pas à prendre les moyens du cinéma au sérieux, précisément parce qu'ils offrent d'innombrables possibilités de manipulation, dont les cinéastes malheureusement abusent − de la simple tricherie qu'on se permet par paresse à la manœuvre de diversion savamment menée et calculée. Comme il déteste les effets, il déteste aussi la rationalisation du travail, qui ne repose en fait que sur la recherche des effets. Un *zoom* se fait passer pour un *travelling* qui réclame la pose de rails, et donc, du temps et de l'argent. De tels moyens ne sont pour Wenders que du vent ; un pur mensonge, un simple ersatz. Ici aussi, il y va de la recherche de l'identité vraie : être et non sembler. L'artisan honnête n'obtient jamais comme résultat que ce qu'il a investi sous forme de travail. Lorsque Ripley arrive dans l'atelier de Jonathan, qui se trouve derrière la boutique où on vend seulement, il dit : « Ça sent le métier. J'aime ça. »

Ainsi l'accumulation des expériences va-t-elle jusqu'à toucher le domaine du pur métier. L'aisance de Wenders à jouer des divers moyens stylistiques n'a fait que croître, développant ainsi son talent d'expression. Cela n'a rien d'extraordinaire et ne serait même pas digne d'être mentionné si Wenders ne faisait qu'exercer la virtuosité dont il est capable. Mais Wenders n'est pas un virtuose, il ne le veut, et, par bonheur, ne le peut pas non plus, dans la mesure où la virtuosité n'est que la brillante célébration d'un acquis de longue date. Avant comme après, il cherche encore de nouvelles solutions en vue de nouvelles expériences et de nouvelles connaissances. Il fait encore un pas après l'autre. Là-dessus se greffe l'espoir que son cinéma pourra continuer après la somme que représente l'*Etat des choses*.

Mais il ne s'agit pas seulement de somme. Le tout est plus que la somme des détails. Les talents que Wenders a acquis au cours de sa carrière sont importants. Mais le contexte est encore plus important. Car la complexité que l'on a notée à propos des derniers films est encore plus vraie pour l'ensemble de l'œuvre. Il est particulièrement frappant de voir − et c'est ce qui détermine la qualité — la rigueur avec laquelle cette évolution s'est effectuée à tous les niveaux (thématiques autant que techniques). Quelque aspect de son œuvre que l'on isole et analyse, et quels que soient le niveau et le moment où il apparaît, les conclusions correspondent toujours très exactement à celles qu'on a pu tirer d'autres aspects situés à d'autres niveaux, et apparues à d'autres stades de son évolution. C'est la grandeur du système dynamique de Wenders : tous les éléments de la structure évoluent au même rythme et avec une incroyable cohérence.

C'est seulement ainsi que le contenu devient forme, et que, inversement, la forme devient thème. C'est seulement ainsi — et pas seulement à l'aide de connaissances introduites dans les histoires qu'on raconte — que l'expérience devient art et que l'art devient connaissance. Les films de Wenders ne prétendent à aucun moment à une connaissance du monde, mais tout en jetant un regard impassible et patient sur le monde et en intégrant les expériences subjectives à l'objectivité de la forme, ils copient le monde et produisent de la connaissance. C'est ici, et non dans de quelconques mots d'ordre, que s'esquisse l'utopie que nous ne devons pas abandonner parce que la dignité de la vie et de l'art est en jeu. Les deux choses vont de pair — non à cause de la personne de Wenders mais à cause du média par le truchement duquel s'exprime sa personnalité. C'est pourquoi tous les films de Wenders sont aussi une réflexion sur le cinéma : « L'art possède son *autre* dans sa propre immanence, parce que celle-ci, comme le sujet, est en soi médiatisée par la société. Il doit amener au langage son contenu social latent, pénétrer en lui pour se dépasser. »[1] C'est le point fondamental de toute la théorie de l'auteur.

Wenders a trouvé pour cette situation de fait un signe qui vaut pour le cinéma en général et pour le sien en particulier, tant que l'électronique n'aura pas fait entièrement disparaître le caractère mécanique du cinéma traditionnel. Dans le dernier cinéma où Bruno et Robert se rendent ensemble, ce cinéma où Robert « quand il était enfant dépensait en secret tous ses marks », Bruno démonte la croix de Malte qui est dans l'appareil de projection et explique au projectionniste, que ça n'intéresse pas du tout : « Sans cette petite chose-là il n'y aurait pas d'industrie cinématographique ! Vingt-quatre fois par seconde elle fait avancer le film

1. Adorno, *Théorie esthétique, op. cit.*, p. 343.

La croix de Malte comme symbole du cinéma wendersien : *Au fil du temps*.

d'un cran. C'est-à-dire qu'elle transforme le mouvement rotatif en un mouvement rectiligne. C'est astucieux ! » Ce qui semble tourner bêtement sur soi-même imprime coup par coup un mouvement continu à quelque chose d'autre. Et encore une fois un petit objet insignifiant devient signe : dans l'image de la croix de Malte se condensent l'être, l'espoir et la grandeur du cinéma de Wenders.

**Chapitre 5**

**La dimension nouvelle :** *Paris, Texas.*

*On the road again* : avec *Paris, Texas* Wenders se lance à
nouveau dans un voyage de découverte, pour tenter de
comprendre ce que c'est, la vie. Mais c'est aussi une nouvelle
expérimentation : la vie se laisse-t-elle raconter, et comment ?
Cela semble presque un recul – et de ce point de vue c'en est un
aussi. De même qu'il avait fait redescendre Wilhelm Meister du
Zugspitze, où il se trouvait, désemparé, pour le ramener sur les
routes, dans la zone frontière d'un pays divisé, il fait revenir
Travis, désespéré jusqu'au mutisme, pour son amour, pour son
avenir, de nulle part – du désert – dans le « monde des
vivants ». Travis, que ses proches tenaient pour mort, symboliquement, a marché à grandes enjambées dans le royaume des
morts, comme Wenders l'a fait, dans son œuvre de cinéma, de
l'*Ami américain* à l'*Etat des choses*. A cette période, que Wenders
avait pourant inaugurée par un audacieux franchissement de
frontières, il « a lui-même manœuvré dans une impasse » [1] dont il
devait absolument se sortir s'il ne voulait pas que son œuvre
marque le pas. Mais étant donné qu'un tel moment d'inertie chez
Wenders ne peut seulement concerner le thème mais s'étend aussi
à la forme – le signe de la croix de Malte vaut ici encore ! – le
retour à la forme éprouvée et maîtrisée du *road movie* pourrait
passer pour une prudente mesure de sécurité, derrière laquelle
quelqu'un se retire, comme dans un bastion, après avoir effectué
une sortie audacieuse qui s'est soldée – commercialement du
moins – par un échec.

---

1. Wenders, dans un entretien radiophonique avec Peter Hamm,
Bayerischer Rundfunk, 27 mai 1984.

Mais le film vient battre en brèche ce soupçon dès les premières images, qui, dans une certaine mesure, lorsqu'elles sont venues à l'esprit de Wenders, ont été l'étincelle dont toute l'histoire est partie : on y voit un homme marcher inlassablement à travers le désert, indifférent à tout ce qui se trouve autour de lui, toujours droit devant lui, comme s'il avait un but. Il y a dans ces images, justement parce qu'elles n'expliquent encore rien, un espace, une liberté et une beauté (oui : maintenant aussi la beauté) telles qu'on trouverait à peine des images pareilles dans toute l'histoire du cinéma. Wenders parvient, dès la première séquence de *Paris, Texas* au but qu'il avait cherché en vain − et, bien sûr, trop tôt, tout simplement − à atteindre avec *Hammett* : réaliser son rêve américain, l'image d'un désir qui pouvait encore autrefois rester silencieux.

C'est, admettons-le, une image très européenne, transfigurée de l'Amérique, qui agace plutôt les Américains eux-mêmes, et particulièrement les New-Yorkais, parce qu'elle fait un mythe de ce qu'ils ont constamment sous les yeux dans la réalité. On ne peut pas expliquer ce qui trouve, ici, après plusieurs tentatives, son expression, si on ne pense pas à la fascination exercée sur le petit garçon de la Ruhr par le western, où on peut voir un homme monter à cheval et chevaucher cinq jours pour rejoindre la prochaine étape. L'élève de l'Ecole supérieure opposait dès *Trois Trente-Trois Tours américains* l'utopie d'une liberté illimitée à l'étroitesse où vous confinent les villes allemandes : « on devrait pouvoir faire des films qui seraient exclusivement composés de plans généraux. » On a l'impression de tenir un tel film avec *Paris, Texas*, même s'il porte à la perfection un système de raccords minutieux à l'extrême.

Mais Wenders est trop souverain pour se reposer seulement sur la grandiose majesté que le paysage texan prête, pour la plus grande part, à son film. Au fur et à mesure qu'il ramène Travis du désert − cette utopie négative − sur les routes et vers les « lieux de spectacle » du « *land of the livings* », plus il associe étroitement la nature et la civilisation. Le frère de Travis, Walt, qui retrouve celui-ci dans la station-service délabrée, possède, de façon programmatique, une petite entreprise de panneaux publicitaires, ces gigantesques panneaux qui déploient, le long des rues principales et des autoroutes, des représentations en trompe-l'œil de tout ce que produisent la nature et l'histoire, si massivement qu'on pourrait presque voir en eux la seconde peau de tout un continent. Ce que l'espace représente pour le désert non domestiqué, la publicité le représente pour une société de consommation tournée vers l'extérieur et pour qui c'est manifestement une nécessité de faire à chaque instant sa propre publicité. Cela aussi appartient à l'Amérique : « Le pouvoir des images : le pouvoir de la confirmation ; la confirmation du pouvoir. "The American Dream". Un rêve aussi se compose d'images, bien plus que de mots. A quoi peut bien ressembler le rêve d'un pays, d'hommes qui ont désappris de voir parce qu'ils sont trop longtemps habitués à ce qu'on leur *montre* ? Ils ne voient plus non plus leur rêve, à moins qu'on ne le leur montre, qu'on ne le leur produise. *Produire, séduire,* deux mots très semblables. Dans les deux cas, les hommes sont conduits. *Se laisser conduire* comme passif du verbe actif *voir*. » [1]

Il faut un enfant, qui est à vrai dire lui-même déjà profondément prisonnier des stratégies commerciales de ces rêves cinématographiques que sont la *Guerre des étoiles* et *l'Empire contre-attaque,* pour retrouver un regard curieux et sans *a priori* qui permette de voir vraiment de nouveau la vie. Walt et sa femme Anne se sont déjà habitués à considérer le petit Hunter comme leur propre enfant. Travis, quant à lui, se souvient à peine qu'il a un fils ; et Hunter lui-même n'a plus le moindre souvenir de ses vrais parents. Le courant ne passe pas entre Hunter et Travis au début, mais ils établissent le contact parce que chacun reconnaît la particularité de l'autre et le respecte dans son individualité.

L'attitude de Hunter vis-à-vis de ce singulier étranger qui doit être son père est d'abord réservée et va jusqu'au rejet. Anne et Walt ont beau lui dire et lui monter qu'il lui faut mieux se comporter, ça ne sert à rien. Il ne change d'attitude que lorsque Walt, pour échapper à un silence pénible, projette le vieux film de vacances. Le film n'intéresse pas du tout Hunter au début, mais il lui fait voir tout à coup comment Travis se comportait en tant que père vis-à-vis de lui ; qu'il lui laissait tenir le volant du *mobil home* ; qu'il lui faisait confiance. Hunter se fie maintenant à Travis ; pour la première fois, il l'appelle « papa ». L'enfant accepte Travis seulement au moment où il peut se faire une idée de lui en tant que père.

Et Travis doit désormais montrer qu'il mérite cette confiance,

1. Wim Wenders, *Der Amerikanische Traum, in* Maurice Kennel, *American Dreams − New York, Hollywood, Elvis,* U. Bär Verlag, Zürich, 1984.

en essayant de répondre à cette idée. Il demande à l'employée de maison de quoi ça a l'air, un père, « le » père en général. Et lorsqu'il apparaît devant son école dans son nouveau costume, Hunter n'a plus honte de son père devant ses amis ; il est même prêt à rentrer à pied à la maison avec Travis, bien que plus personne n'aille à pied. « Tout le monde est en voiture », tel était l'argument justement avec lequel Hunter avait décliné l'offre de Travis lorsque celui-ci avait proposé, une première fois, d'aller le chercher à la sortie de l'école ; cet argument est maintenant relégué au second plan. Le fait essentiel, c'est que chacun s'est désormais fait une image de l'autre et qu'ils veulent maintenant répondre à cette image − et ils peuvent le faire désormais en conscience contre les conventions.

Travis sait combien il importe que l'image intérieure d'une personne s'ajuste étroitement à son image extérieure, parce qu'il en a fait l'expérience − négative − auprès de ses parents. Cette histoire, qui a tellement d'importance pour Travis, et qui devait si profondément marquer sa vie, il ne peut la raconter qu'avec hésitation, par à-coups − d'abord à Walt sur la route de Los Angeles, puis à Hunter après avoir retrouvé Jane. Les parents de Travis se sont aimés pour la première fois à Paris, Texas ; c'est là, croit-il, qu'il a été conçu. Son père avait tiré de cette circonstance une stupide blague de macho − il marquait un temps d'arrêt avant d'ajouter « Texas », pour suggérer l'idée qu'il avait connu sa femme à Paris, France − ce qui faisait ensuite venir l'idée qu'elle avait été une fille légère ; et il finit lui-même par croire à cette idée : « Elle (la mère de Travis) était bonne. Mais mon papa, vois-tu, mon papa, il avait une idée dans la tête qui était comme une maladie. (...) Il avait une idée sur elle et... il la regardait, mais... il ne la voyait pas. Il voyait son idée. Et il disait aux gens qu'elle était de Paris. C'était une bonne blague. Mais il s'est mis à le dire partout et ça a fini par n'être plus une blague du tout. Il s'est mis à y croire. Et il y a vraiment cru. Et elle... oh mon Dieu. Elle était tellement gênée. Elle était tellement... elle était tellement timide. » [1]

Voir − et pourtant ne pas voir : chez Wenders cela peut devenir le point où dans la vie d'un homme se décide son destin, s'il sera

---

1. Wim Wenders − Sam Shepard, *Paris, Texas,* Road Movies, Berlin, et Greno Verlag, Nordlingen, 1984, texte trilingue allemand, anglais − et français, dans une traduction d'Evelyne Pieiller et Bernard Eisenschitz, p. 85. − Le livre est diffusé en France par le Seuil.

heureux ou non. Pourtant la différence qu'il y a entre l'idée qu'on se fait de quelqu'un et ce qu'il est réellement n'est pas l'essentiel ; c'est plutôt un signal d'alarme ; avant comme après, Wenders n'est pas un réaliste. Il s'agit pour lui de savoir ce que c'est que cette *idée fixe* * que quelqu'un s'est mis ici dans la tête. Parce qu'elle est utopique, elle peut amener quelqu'un à désespérer de la réalité, mais elle le rend aussi ensuite capable d'un regard plein d'amour, d'une relation avec les autres qui soit vraiment digne d'un homme, de rêver à un monde meilleur. Mais comme obsession, surtout si elle a surgi de l'angoisse, elle conduit presque inévitablement à des relations limitées avec les autres, à l'angoisse des contacts, à la solitude.

Travis, qui a vu si clair dans les relations de ses parents et qui — on peut le supposer — a souffert du comportement de son père, n'a pas pu lui non plus éviter de faire la même erreur. Il a lui aussi détruit de façon délirante son amour démesuré, son mariage avec Jane. L'idée que ce n'est pas l'être de l'autre, mais l'image qu'on se fait de lui qui provoque ces meurtrissures mutuelles et tout ce gâchis, introduit dans le monde de Wenders une notion qui n'y avait pas encore trouvé de place. Travis est le premier des personnages de Wenders à se rendre compte de ce qu'il a fait, qu'il a fait plus qu'obéir innocemment à un destin qui le dépasse. Ce qui s'est produit a des conséquences beaucoup plus profondes que les séparations qu'on pouvait voir dans les premiers films, dont les personnages concevaient à l'avance les relations d'amitié et d'amour comme momentanées. Ces séparations n'avaient d'autres répercussions sur eux que le souci — éventuellement — que l'autre « ne se fasse quelque chose » (comme Robert le craint dans *Au fil du temps*). Il est question ici d'une culpabilité réelle, qui a quelque chose de pathétique, d'une faute au sens moral, et presque religieux, du terme, qu'il faut expier.

Sa propre culpabilité — mais Travis ne le sait pas encore — lui a coupé le souffle, l'a conduit à errer, muet, pendant quatre ans, dans le non-lieu du désert. Avec son retour dans le monde des vivants commence l'épiphanie, la pénitence. Elle consiste pour lui à remettre de l'ordre dans les liens d'une famille où il ne peut plus ni ne doit plus jouer aucun rôle. Ce n'est qu'en décrivant ainsi le thème de l'action qu'on peut comprendre le comportement général de Travis. Car ce comportement n'est pas rationnel, au sens que la bourgeoisie pratique donne à ce mot. Il arrache son fils

_____

(*) En français dans le texte (N.D.T.)

à la famille protégée de son frère pour le ramener auprès d'une femme dont il continue de croire, souterrainement, qu'elle est une putain.

Par une mise en· scène qui est un véritable tour de force, Wenders rassemble ces trois niveaux de façon cohérente dans la longue explication qui intervient entre Travis et Jane. Le lieu où se passe cette séquence capitale, où aboutissent tous les courants souterrains du film, est une trouvaille de génie : un *peep-show* d'allure proprement surréaliste — avec des cabines individuelles où on a voulu représenter des endroits aussi impersonnels qu'un « hôtel », une « piscine », un « café » ; avec une salle de danse qui, dans la lumière rouge, semble une antichambre de l'enfer.

Le *peep-show* confirme naturellement les anciennes craintes de Travis. Dès leur première rencontre, il veut contraindre Jane à avouer qu'elle va avec des hommes : « Vous pouvez les voir si vous le voulez, ce n'est pas vrai ? Je veux dire, vous pouvez arranger ça si vous voulez. Dans toutes ces boîtes on dit ça, je veux dire, combien vous vous faites en extra ? Combien ? Combien vous vous faite en a-côtés ? » [1]

Lorsqu'il va voir Jane pour la seconde fois — cette fois encore sans se faire reconnaître, et après avoir raconté, absolument ivre, l'histoire de ses parents à Hunter — il ne tente plus de chercher chez elle les causes de l'échec de leur grand amour. Travis, bien qu'il y ait encore en lui une grande part d'innocence presque enfantine, reconnaît sa culpabilité. Lorsqu'il dit sa culpabilité — qu'il arrache lentement l'histoire de sa vie à son subconscient en une espèce de séance psychanalytique — il se met en situation de vivre l'avenir avec la conscience de sa culpabilité et de faire l'offrande de son renoncement, grâce à laquelle il persuade Jane de prendre à nouveau soin de leur enfant.

La mise en scène de Wenders fait apparaître ce double geste d'autopurification psychologique — et ce serait le troisième niveau, le niveau religieux de la culpabilité — comme une confession. Le miroir sans tain de la cabine du *peep-show* fait fonction, de ce point de vue, du grillage du confessionnal. Jane ne peut pas voir Travis. Elle entend sa voix, mais celle-ci est déformée par l'interphone. Travis physiquement pourrait voir Jane, mais psychologiquement, il ne le peut pas. Il se détourne et parle au cœur de cette obscurité qui entoure pour un moment la situation où ils se trouvent. C'est seulement lorsqu'elle le

1. Wim Wenders-Sam Shepard, *op. cit.,* p. 81.

reconnaît – où il faut entendre « connaît » au sens biblique du terme – qu'ils se tournent l'un vers l'autre. Un bref instant, leurs visages se fondent sur le panneau vitré : fugitif reflet d'un rêve mutilé. Mais il n'est plus possible de revenir en arrière. La séparation est accomplie, Jane et Travis ne se verront plus jamais. Il peut seulement encore regarder les ombres qui jouent sur les fenêtres de l'hôtel, lorsque la mère et le fils se retrouvent et s'embrassent dans une silencieuse euphorie. Travis alors repart seul sur les autoroutes au-dessus desquelles s'embrase un ciel rouge, passant devant l'un de ces panneaux publicitaires géants, sur lequel est inscrit ce triste commentaire : « *Together We Make It Happen.* »

*Paris, Texas* n'est pas un film sur une famille séparée – si c'était le cas, il serait plutôt *kitsch* – mais l'esquisse cinématographique d'une conception de la famille, les films des images irreprésentables que les hommes se font les uns des autres. La différence est importante. Et c'est elle qui fonde l'extraordinaire qualité du film de Wenders. Car le spectateur peut ne pas voir ces images et ces idées que les personnages se font des autres – alors qu'il ne peut pas ne pas voir ces panneaux publicitaires, par exemple, qui, à leur tour, donnent l'illusion de ce qui *n'est pas* ; qui offrent en tout cas tout autre chose que les marchandises qu'ils vantent.

Wenders, donc, raconte ici deux histoires. Une histoire que l'on peut voir et une autre qui est invisible. Le sujet de l'une, c'est la liberté que l'on éprouve sur les routes ; l'innocence avec laquelle les hommes s'accrochent à leurs besoins et à leurs rêves ; la solitude où leur individualité les condamne. Le sujet de l'autre, les contraintes intérieures, la faute qui résulte des images fausses des autres ; la pénitence et le sacrifice qui deviennent nécessaires lorsqu'on prend (soi-même) conscience de la faute.

Ces deux trames narratives contradictoires impriment sur tous les personnages les stigmates de la division, même sur Hunter, sur qui cette empreinte est à peine visible à cause de l'innocence de son jeune âge. Un seul personnage du film est totalement en accord avec lui-même – peut-être parce qu'il est en même temps si parfaitement hors de lui : le fou qui annonce la fin du monde sur le pont de l'autoroute. Bien qu'il n'entre en scène que quelques secondes, il est, pour Wenders, à juste titre, l'un des personnages principaux du film [1]. Car il est celui qui, en hurlant son

---

1. Interview de Peter Hamm, *ibid.*

monologue unique donne à une situation qui n'est familière qu'à un petit nombre d'hommes le caractère d'une vision globale de l'humanité. Ce que les individus se font les uns aux autres, ils le font tous ensemble à la planète terre.

Chez Wenders, le malheur, s'il n'est pas le simple fruit du hasard, arrive toujours pour la même raison : les hommes voient et pourtant ne voient pas. Ils ont trop d'idées fausses et trop peu de rêves justes. Ils sont divisés en eux-mêmes et de cette division naît la faute, qu'ils peuvent seulement expier en mettant de nouveau en accord l'être et l'idée, la réalité et le rêve. Wenders a ainsi trouvé pour la première fois la formule de l'inquiétude indéfinie de ses premiers personnages. Ce qui apparaissait chez eux, de façon vague et floue, comme « creux », comme un malheur dont ils n'étaient pas conscients, prend maintenant avec *Paris, Texas* la forme d'une division existentielle à l'intérieur d'eux-mêmes, entre le monde tel qu'il est et le monde tel qu'il devrait être ; entre la réalité et l'utopie, entre le moi et l'autre. Et parce qu'ils ne comprenaient pas cette division, ils cherchaient l'harmonie en dehors d'eux-mêmes : dans le monde extérieur où semblait promis l'accomplissement que la patrie ne leur permettait pas.

De même qu'il avait fallu à Wenders arpenter sa patrie à travers les premiers films jusqu'à *Au fil du temps,* il lui a fallu arpenter jusqu'au bout ce chemin qui s'est révélé une impasse. Et cette limite est indiquée dans l'*Etat des choses* par la citation de Murnau : c'est d'être absolument sans patrie. Un tournant s'esquisse dans *Paris, Texas* : Travis porte constamment avec lui l'image de sa patrie, la photographie fatiguée d'un bout de terrain sinistre qu'il a acheté sans le connaître. Mais il croit que sa vie a commencé là-bas, dans cette région ; et il croit qu'en cet endroit, où il n'y a pour l'instant rien d'autre que son idée, il pourrait réaliser son idée de famille et de patrie. Wenders ne brosse pas un tableau complet de cette utopie, il garde en réserve ce bout de terrain où une autre vie pourrait devenir réalité.

Mais il essaie de pousser plus loin, du point de vue de la forme, ce qu'il ne fait qu'évoquer au niveau du thème, comme possibilité – et il y a là un geste presque mythique : la représentation de la division se transforme en une incroyable harmonie de la représentation. Et cette harmonie nouvellement gagnée porte à croire fondamentalement que l'utopie est déjà heureusement réalisée, suscitant chez le spectateur un sentiment de bonheur que peuvent seulement ménager les chefs-d'œuvre de l'art.

Ce qui le signale de la manière la plus frappante, c'est que

Wenders, dont tous les films jusqu'à présent étaient caractérisés par un curieux mélange de rugosité et de porosité, renonce ici manifestement à maintenir la distance déconcertante qu'il plaçait, dans les premiers films justement, entre l'action et les signes ; ce qu'un tel genre de signes mettait en évidence en interrompant l'action − il s'agissait de signifier l'aliénation des personnages par l'étrangeté de certaines images − est désormais intégré avec la transparence de ce qui va de soi dans la trame de l'action. Lorsque Travis échappe pour la deuxième fois à son frère Walt par exemple, il passe incidemment devant une grande réclame pour les « Marathon Motels » : il est ainsi indiqué qu'il est loin d'être au bout de ses peines. Ou bien il cire toutes les chaussures et les dispose en bon ordre : une discrète façon d'indiquer qu'il aimerait beaucoup mieux être par monts et par vaux que d'avoir part à ce bonheur bourgeois emprunté. Ces indications passeront inaperçues aux yeux de celui à qui l'emploi wendersien des signes n'est pas familier. Car ils n'interrompent plus le rythme de l'action et ils sont là tout de même. Mais ces signes ne sont plus seulement des allusions, des citations, des indications destinées aux initiés ; ils ne créent plus de distance par rapport aux personnages, mais sont au contraire le moyen de signifier ce qui ne peut pas se voir, de faire voir le caractère d'un personnage, une humeur fugitive ; ainsi le faucon dans la première séquence, ou l'ombre portée sur le sol par les avions qui décollent, ou la statue de la liberté peinte sur les murs du bâtiment du *peep-show*.

Wenders a réussi à intéger tous ses moyens techniques dans *Paris, Texas,* se permettant du coup de donner au film le caractère de beauté naturelle dont il s'était autrefois toujours méfié par peur de la gratuité. Mais cette peur a maintenant d'autres causes, des causes existentielles qui tiennent à ces idées fausses où il faut voir l'origine de la culpabilité personnelle. D'un autre côté, la culpabilité n'était dans les premiers films que le fardeau laissé en héritage par les pères (nazis) − un héritage qu'il fallait assumer mais en ne se reconnaissant aucune responsabilité. Cela aussi a changé. A l'atmosphère de malaise dans laquelle les personnages des premiers films sont nés et qui les poussait à travers le monde s'est substituée l'idée que ce ne sont pas toujours les autres qui produisent le malheur ; qu'on provoque aussi soi-même des blessures et qu'on se rend ainsi coupable d'une faute. Wenders, si on veut, est devenu adulte. Sa quête de la réalisation de soi l'a poussé à comprendre qu'il faut d'abord s'accepter soi-même malgré toutes les divisions. Le malheur jusqu'ici venait toujours

de l'extérieur, des autres ; c'est pourquoi l'extérieur, où « tout doit changer » ne pouvait non plus avoir de beauté dans les films. Cela aurait constitué une trahison de l'idée de beauté. C'est seulement dans le film où Travis reconnaît sa culpabilité que la beauté est possible — en tant que promesse utopique : un jour, la faute sera surmontée.

Comme toujours dans le système dynamique de l'œuvre de Wenders, la transformation d'un élément entraîne la transformation d'autres éléments. L'harmonie des moyens nouvellement gagnée permet en effet tout à coup de représenter quelque chose dont on pouvait autrefois seulement parler : les sentiments. Wenders avait jusqu'alors une peur manifestement prononcée de leur force directe ; il y a peut-être une relation de cause à effet entre cette peur et le mutisme de Wenders et de ses personnages. C'est en tout cas pour cette raison que pesait chez Wenders sur la représentation des sentiments une interdiction des images presque inspirées de l'Ancien Testament — c'est peut-être qu'il n'avait encore, jusqu'à *Paris, Texas,* aucune image pour les sentiments ; aucune en tout cas qui fût à la hauteur — ou qui s'en approchât — des sentiments au sens fort du terme. Aucun des films précédents ne faisait plus qu'y faire allusion — les personnages dans une certaine mesure pouvaient parler des sentiments, mais il fallait pour cela les détours d'un récit — Hans racontant le récit de

Thomas Bernhard dans *Summer in the city* – , d'un rêve (*Faux Mouvement, Au fil du temps*), des chansons (dans pratiquement tous les films).

Il n'y a plus rien de tout cela dans *Paris, Texas ;* mais on n'y trouve pas non plus tous ces trucs qui visent à provoquer les sentiments de manière calculée, qui appartiennent aussi bien au métier du cinéaste qu'à l'être profond du mélodrame, par exemple. Wenders se refuse toujours à provoquer des réactions chez le spectateur en commençant par montrer à celui-ci ce qu'il doit éprouver, et en excitant sa pitié – cette pitié qui assure l'identification, cette catégorie fondamentale de l'esthétique cinématographique classique, qui a toujours fait cause commune avec la morale dominante. Wenders a horreur de cette manipulation morale qui s'appuie au fond sur un pauvre truc de l'art cinématographique. Car une chose au moins n'a pas changé : Wenders s'obstine à prendre son métier au sérieux, à rejeter toute recherche des effets et toute tricherie. Wenders continue de voir dans l'art et la manière dont le mélodrame provoque les sentiments une pénible indiscrétion, une trahison de l'idée utopique que recèlent les sentiments. De ce point de vue, Wenders est sûrement l'adversaire le plus radical du cinéma d'un Fassbinder.

Mais où réside alors la force émotionnelle incontestable de

*Paris, Texas* ? Sûrement pas dans le brusque revirement de Hunter ni dans les larmes de Jane ni dans le renoncement de Travis, qui monte à la fin dans sa voiture et s'éloigne dans le crépuscule comme les héros des westerns classiques le faisaient autrefois, à cheval, une fois leur travail accompli − éternellement sans repos, éternellement sans patrie. Au lieu de s'appuyer sur de tels éléments, Wenders − et c'est une nouveauté absolue dans l'histoire du cinéma, si l'on ne tient pas compte des tentatives vaguement apparentées de Robert Bresson, qui visaient bien sûr de tout autres buts − Wenders donc s'appuie pour donner au film sa force émotionnelle sur la structure double de sa dramaturgie. On a vu plus haut que Wenders racontait ici deux histoires, l'une visible, l'autre qu'on ne peut pas voir ; nous avons indiqué ensuite que chacune d'elles avait une solution différente − le renoncement à l'amour et l'accomplissement de l'amour − deux solutions dont les conséquences sont tirées par le film encore une fois de manière différente : l'utopie est refusée au niveau des thèmes, promise au niveau de la forme. Ce différend structurel trouve son sens en une géniale composition des deux trames qui donne à celles-ci leur unité : dans la façon précisément dont le film traite des sentiments − une tâche difficile, car il faut les représenter sans les exploiter et leur conférer une présence sensible, sensuelle, sans en faire à dessein étalage.

Le grand art de Wenders, en face de ce délicat problème, est dans la manière extrêment fine et discrète dont il rapproche des éléments strictement séparés. Il saute aux yeux que l'action des deux trames narratives ne se retrouve jamais au même point. L'histoire visible et l'histoire invisible ne sont pas construites en parallèle, mais dialectiquement. Elles sont complémentaires l'une de l'autre, elles sont le commentaire l'une de l'autre. C'est l'impression qu'on a dans la scène − dont le fond musical est le thème mexicain de la musique de Ry Cooder − où Travis, en face de Jane, reconnaît son erreur, sa culpabilité ; au-delà du fait que Wenders joue ici de tous ses moyens à l'unisson, il place ici la confession de Travis dans un contexte plus vaste, il en définit la valeur essentielle. Du point de vue de l'esthétique du film, il ne s'agit de rien d'autre que de combler les lacunes de l'une des trames dramatiques au moyen de l'autre. Pour aller plus loin, aucun des deux niveaux du récit n'est complet à lui seul ; aucun n'a de valeur réelle sans le complément de l'autre.

C'est précisément le mécanisme que Roland Barthes a découvert à propos du mythe. Barthes a décrit le mythe comme un système de crédit à l'intérieur du langage, au sein duquel toute affirmation doit être garantie à un autre niveau que celui où elle a été formulée [1]. Le mythe ainsi emprunte toujours quelque chose ailleurs — comme Walt et Anne « leur » enfant — et transforme ainsi la réalité. Ce qui plus haut était défini comme un geste mythique, qui s'annonce dans le dépassement de la culpabilité et une timide possibilité d'utopie, peut s'observer ici encore jusque dans le travail sur la forme. Ce n'est qu'ainsi que la forme peut promettre quelque chose que le contenu vient encore démentir.

Wenders a encore une fois franchi une frontière, il a conquis — pour lui et pour le cinéma en général — une nouvelle dimension. Jusqu'à l'*Etat des choses,* il était obnubilé par la division du rêve et de la réalité, qui trouve son expression, au niveau de la forme, dans l'opposition du document et de la fiction — une opposition à vrai dire que Wenders n'a jamais acceptée tout à fait et qu'il a cherché à dépasser dans sa manière de faire du cinéma. Il y est parvenu désormais avec *Paris, Texas* — d'une autre façon, bien sûr, que de celle dont il avait rêvé autrefois.

*Paris, Texas* ne prétend pas en effet que les contradictions seraient réconciliées et par là aplanies. Mais elles ont trouvé leur dépassement dans un contexte plus vaste, où toute peur à l'égard des tabous déterminants des premiers films — les sentiments ; la morale et l'utopie — semble avoir disparu. Encore une fois, Wenders a accompli un pas décisif qui lui a fait dépasser la position qui était la sienne jusqu'alors et il est pourtant resté fidèle à lui-même. Le mythe dont il livre l'esquisse avec *Paris, Texas* n'est pas en effet la confirmation des mythes classiques du cinéma, pas plus que la célébration du rêve américain. Au contraire, ce mythe qui rompt la gangue qui enfermait la génération de l'après-guerre en Allemagne, démythifie — prenant en ceci le parti de la raison — le premier rêve de l'Amérique. L'Amérique, dans *Paris, Texas,* n'est plus le pays où pourraient se réaliser les rêves du petit garçon de la Ruhr, mais ce n'est plus non plus le pays qui détruit l'artiste idéaliste venu d'Europe.

*Paris, Texas* est bien plutôt l'adieu de Wenders à l'Amérique. Après qu'il a formulé ce qui l'intéressait dans ce pays, il s'est mis dans la situation de pouvoir le quitter sans éprouver ce départ comme une défaite. Wenders quitte l'Amérique certes désillusionné (toutes les figures de promeneurs depuis le romantisme ont

---

1. Roland Barthes, *Mythologies.* Editions du Seuil, Paris 1967.

poursuivi leur chemin désillusionnées), mais non sans espoir. Il porte au contaire plus loin l'idée de l'utopie : *Jusqu'au bout du monde,* selon le titre que devrait porter son prochain film. « Tout doit » encore « changer », il ne peut toujours pas y avoir de vraie vie dans un monde qui ne l'est pas. Mais on a l'impression, pour la première fois, que Wenders croit réellement à la possibilité d'un monde tout autre. S'il s'était rapproché de cette utopie ne serait-ce que d'un pas, alors il aurait valu la peine de faire tous ces détours.

**Filmographie**

**Courts métrages :**

1967 : **Schauplätze (Lieux de spectacle)**
16 mm, noir et blanc, 10 mn. Production, scénario, photographie, montage : Wim Wenders. Musique : Rolling Stones. (Plus de copie disponible)

1968 : **Same player shoots again**
16 mm, noir et blanc (négatif), couleur, 12 mn. Production, scénario, photographie, montage : Wim Wenders. Interprète : Hanns Zischler. Musique : Mood Music. Tourné à Munich pendant l'été 1967.

1969 : **Silver city**
16 mm, Eastman Color, 25 mn. Production, scénario, photographie, montage : Wim Wenders. Musique : Mood Music. Tourné à Munich pendant l'été 1968.

**Alabama : 2000 light years**
35 mm, noir et blanc, 22 mn. Production : Hochschule für Fernsehen und Film München. Directeur de production, scénario, montage, son : Wim Wenders. Photographie : Robby Müller, Wim Wenders. Musique : Rolling Stones, Jimi Hendrix, Bob Dylan. Interprètes : Paul Lys, Peter Kaiser, Werner Schroeter, Werner Muriell, Schrat, King Ampaw, Christian Friedel. Tourné à Munich et dans les environs pendant l'été 1969.

**3 Americkanische LP's (Trois Trente-Trois Tours américains)**
16 mm, Eastman Color, 15 mn. Production : Hessischer Rundfunk. Directeur de production, photographie, montage, son : Wim Winders. Scénario : Peter Handke. Musique : Van Morrison, Creedence Clearwater Revival, Harvey Mandel. Interprètes : Peter Handke, Wim Wenders. Tourné à Munich pendant l'été 1968.

1970 : **Polizeifilm**

16 mm, noir et blanc, 12 mn. Production : Bayerischer Rundfunk. Directeur de la production, photographie, montage : Wim Wenders. Scénario : Albert Göschel, Wim Wenders. Interprètes : Jimmy Vogler, Kasimir Esser. Tourné à Munich pendant l'automne 1969.

1974 : **Aus der Familie der Panzerechsen/Die Insel (La Famille Crocodile/l'Ile)**

16 mm, couleur, copie double bande, dramatique télévisée en deux épisodes, 50 mn au total. Production : Bavaria/Westdeutsches Werbefernsehen (pour la série télévisée de fin d'après-midi *Ein Haus für uns* (une maison pour nous). Directeur de production : Eva Mieke. Scénario : Philippe Pilliod. Photographie : Michael Ballhaus. Montage : Lilian Seng. Son : Armin Münch. Interprètes : Lisa Kreuzer, Katja Wulff, Thomas Brant, Nicolas Brieger, Helga Trümper, Marquard Bohm. Tourné à Cologne en février 1974.

**Longs métrages :**

1970 : **Summer in the City** (Dedicated to the Kinks)

16 mm, noir et blanc, 125 mn. Production : Hoschschule für Fernsehen und Film München. Directeur de production : Wim Wenders. Scénario : Wim Wenders. Photographie : Robby Müller. Son : Gerd Conrad. Montage : Peter Przygodda. Musique : The Kinks, Lovin' Spoonful, Chuck Berry, Gene Vincent, The Troggs, Gustav Mahler (Deuxième symphonie). Interprètes : Hanns Zischler (Hans), Gerd Stein (chauffeur), Muriel Werner (un membre de la bande), Helmut Färber (le cinéphile), Edda Köhl (l'amie de Munich), Wim Wenders (un joueur de billard), Schrat (musicien de *rock*), Libgart Schwarz et Marie Bardischewski (les amies de Berlin). Tourné à Munich et à Berlin en janvier 1970.

1971 : **L'Angoisse du gardien de but au moment du pénalty** *(Die Angst des Tormanns beim Elfmeter)*

35 mm, Eastman Color, 101 mn. Production : PIFDA 1 (Produktion 1 im Filmverlag der Autoren), Oesterreichische Telefilm, Vienne et Westdeutscher Rundfunk, Cologne. Directeur de production : Peter Genée. Scénario : Wim Wenders, d'après le roman de Handke qui porte le

même titre. Dialogues : Wim Wenders, Peter Handke. Photographie : Robby Müller. Assistant opérateur : Martin Schäfer. Montage : Peter Przygodda. Son : Rainer Lorenz, Martin Müller. Assistant réalisateur : Veith von Fürstenberg. Musique : Jürgen Knieper. Chansons : Johnny and the Hurricans, Roy Orbison, Tokens, Ventures. Décor : R. Schneider Manns-Au, Burkhard Schlicht. Technique : Honorat Stangl, Hans Dreher, Max Panitz, Volker von der Heydt. Interprètes : Arthur Brauss (Joseph Bloch), Erika Pluhar (Gloria), Kai Fischer (Herta Gabler), Libgart Schwarz (Anna, employée de l'hôtel), Marie Bardischewski (Maria), Bert Fortell (le policier), Edda Köchl (la jeune fille près du *juke-box*), Rüdiger Vogler (l'idiot du village), Ernst Meister (le douanier), Michael Toost, Mario Kranz, Rosi Dorena, Monika Pöschl, Sybille Danzer, Karl Krittel, Maria Engelstorfer, Otto Hoch-Fischer, Gerhard Totschinger, Liane Gollé, Ernst Koppens, Brigitte Svoboda, Paul Hör, Ottilie Iwald, Achim Kaden, Alexandra Back, Ina Genée, Eberhard Maier, Ernst Essel, Josef Menschick, Norma Mayer, Ulli Stenzel, Hans Pemmer. Tourné d'août à octobre 1974 à Vienne et dans le Burgenland.

1972 : **La Lettre écarlate** (*Der scharlachrote Buchstabe*)
35 mm, Kodachrome, 90 mn. Production : PIFDA 1 (Produktion 1 im Filmverlag der Autoren), Westdeutscher Rundfunk (Cologne) et Elias Querejeta (Madrid). Directeur de production : Primitivo Alvarez et Peter Genée. Scénario : Wim Wenders et Bernardo Fernandez, d'après une pièce de Tankred Dorst et Ursula Ehler, *Der Herr klagt über sein Volk in der Wildnis Amerika* (Le Seigneur se plaint de son peuple dans la sauvage Amérique) qui est une adaptation du roman de Nathaniel Hawthorne *La Lettre écarlate*. Photographie : Robby Müller. Assistant-opérateur : Martin Schäfer. Montage : Peter Przygodda, Barbara von Weitershausen. Son : Christian Schubert. Assistant-réalisateur : Bernardo Fernandez. Musique : Jürgen Kniepper. Décor : Manfred Lütz, Adolfo Cofino. Technique : Thomas Schamoni. Interprètes : Senta Berger (Hester Prynne), Hans Christian Blech (Dr. Chillingworth), Lou Castel (Dimmesdale), Yella Rottländer (Pearl), Rüdiger Vogler (un marin), Yelena Samarina (Hibbins), William Layton (Bellingham), Alfredo Mayo (Fuller), Angel Alvarez (Wilson), Rafael Albaican (l'Indien), Laura Currie

(Sarah), Tito Garcia, Lorenzo Robledo, José Villasante. Tourné d'août à octobre 1972 à El Ferrol, Madrid, Cologne.

1973 : **Alice dans les villes** *(Alice in den Städten)*
16 mm, noir et blanc, 110 mn. Production : PIFDA 1 (Produktion 1 im Filmverlag der Autoren), Westdeutscher Rundfunk (Cologne). Directeur de production : Peter Genée. Scénario : Wim Wenders, Veith von Fürstenberg. Photographie : Robby Müller. Assistant-opérateur : Martin Schäfer. Montage : Peter Przygodda, Barbara von Weitershausen. Son : Martin Müller, Paul Schöler. Assistant-réalisateur : Mickey Kley. Musique : Can, Chuck Berry, Canned Heat, Deep Purple, Count Five, Stories, Gustav Mahler. Technique : Honorat Stangl. Interprètes : Rüdiger Vogler (Philip Winter), Yella Rottländer (Alice), Lisa Kreuzer (Lisa, la mère d'Alice), Edda Köchl (l'amie de New York), Didi Petrikat (la femme de la piscine), Hans Hirschmüller (un policier), Sam Presti, Ernst Böhm, Mirko, Lois Moran, Sibylle Baier. Tourné d'août à septembre 1973 en Caroline du Sud, à New York, Amsterdam, Wuppertal et dans la Ruhr.

1975 : **Faux Mouvement** *(Falsche Bewegung)*
35 mm, Eastman Color, 103 mn. Production : Solaris Film (Munich), Westdeutscher Rundfunk (Cologne). Directeur de production : Peter Genée. Scénario : Peter Handke, librement adapté de *Wilhem Meister,* de Goethe. Photographie : Robby Müller. Assistant-opérateur : Martin Schäfer. Montage : Peter Przygodda, Barbara von Weitershausen. Son : Martin Müller, Peter Kaiser, Paul Schöler. Assistant-réalisateur : Mickey Kley. Musique : Jürgen Knieper. Chansons : The Troggs. Décor : Heidi Lüdi. Technique : Max Porupha, Herbert Svee, Alfred Hiebner. Interprètes : Rüdiger Vogler (Wilhelm), Hanna Schygulla (Therese), Hans Christian Blech (Laertes), Nastassja Nakszynski (N. Kinski : Mignon), Marianne Hoppe (la mère de Wilhelm), Peter Kern (Bernhard Landau), Ivan Desny (l'industriel), Lisa Kreuzer (Janine), Adolf Hansen (le contrôleur). Tourné de septembre à novembre 1974 à Glückstadt, Hambourg, Bonn et dans les environs, à Francfort et sur le Zugspitze.

1976 : **Au fil du temps** *(Im Lauf der Zeit)*
35 mm, noir et blanc, 176 mn. Production : Wim Wenders

Produktion (Munich). Directeur de production : Michael Wiedemann. Scénario : Wim Wenders. Photographie : Robby Müller. Assistant-opérateur : Martin Schäfer. Montage : Peter Przygodda. Son : Martin Müller, Bruno Bollhalder, Paul Schöler. Assistant-réalisateur : Martin Hennig. Régisseur : Heinz Badewitz. Musique : Improvised Sound Limited, Axel Linstädt. Décor : Heidi Lüdi, Bernd Hirskorn. Technique : Hans Dreher, Volker von der Heydt. Interprètes : Rüdiger Vogler (Bruno), Hanns Zischler (Robert), Lisa Kreuzer (Pauline), Rudolf Schündler (le père de Robert), Marquard Bohm (le mari de la femme tuée dans un accident), Dieter Traier (le camarade d'école de Robert), Franziska Stömmer (la propriétaire du cinéma), Patrick Kreuzer (le petit garçon de la gare), Peter Kaiser (le projectionniste). Tourné du 1er juillet au 31 octobre 1975 entre Lüneburg et Hof le long de la frontière de la R.D.A.

1977 : **L'Ami américain** *(Der amerikanische Freund)*
35 mm, Eastman Color Negative II, 123 mn. Production : Road Movies Filmproduktion (Berlin), les Films du Losange (Paris), Wim Wenders Produktion (Munich), Westdeutscher Rundfunk (Cologne). Directeur de production : Michael Wiedemann et Pierre Cottrell (à Paris et à New York). Scénario : Wim Wenders, d'après le roman de Patricia Highsmith *Ripley's Game* **(Ripley s'amuse).** Photographie : Robby Müller. Assistant-opérateur : Martin Schäfer, Jacques Stein et Edward Lachmann (à New York). Truquages : Theo Nischwitz. Montage : Peter Przygodda, Barbara von Weitershausen, Gisela Bock. Son : Martin Müller, Peter Kaiser, Max Galinski, Milan Bor. Perchistes : Jens-Uwe Laddey, Jochen Bärwald et Maryte Kavaliauskas (à New York). Assitants-réalisateur : Fritz Müller-Scherz, Emmanuel Clot (à Paris) et Serge Brodskis. Régisseurs : Harald Kügler, Heinz Badewitz, Philippe Schwartz (à Paris), Pat Kirk (à New York). Musique : Jürgen Knieper, The Kinks. Décor : Heidi et Toni Lüdi. Technique : Hans Dreher, Andreas Willim, Wolfgang Dell, Tassilo Peik, Hans Otto Herbst, Ekkehart Heinrich, Jean-Claude Lebras (à Paris), Robert Morsch (à Paris), Johan Holm (à New York) et Hans Volkmann, Ernst Harinko, Victor Sauermann (en studio). Régisseur général : Renée Otto-Gundelach. Interprètes : Bruno Ganz (Jonthan Zimmermann), Dennis Hopper (Tom Ripley),

Lisa Kreuzer (Marianne Zimmermann), Gérard Blain (Raoul Minot), Nicholas Ray (Derwatt), Samuel Fuller (le mafioso américain), Peter Lilienthal (Marcangelo), Daniel Schmid (Igraham), Sandy Withelaw (le médecin, à Paris), Jean Eustache (l'homme amical), Lou Castel (Rodolphe, le chauffeur de Minot), Andreas Dedecke (Daniel), David Blue (Allan Winter), Stefan Lennert (le commissaire priseur), Rudolf Schündler (Gantner), Gerty Molzen (la vieille dame), Heinz Joachim Klein (Dr. Gabriel), Rosemarie Heinikel (Mona), Heinrich Marmann (le monsieur dans le train), Satya de la Manitou (Angie), Axel Schiessler (Lippo), Adolf Hansen (le contrôleur) et Klaus Schichan (qui fait toutes les cascades). Tourné du 18 octobre au 18 décembre 1976 à Hambourg et près de la mer du Nord, du 20 décembre 1976 au 12 janvier 1977 à Munich et en studio, du 24 janvier au 11 février 1977 à Paris, du 3 au 11 mars 1977 à New York.

### 1980 : **Nick's Movie - Lightning over water**

35 mm, couleur (Kodak), 91 minutes. Coréalisateur : Nicholas Ray. Production : Road Movies Filmproduktion (Berlin), Wim Wenders Produktion (Berlin), Viking Film (Stockholm). Directeur de production : Chris Sievernich, Pierre Cottrell. Photographie : Edward Lachmann, Martın Schäfer. Assistant-opérateur : Mitch Dubin, Timothy Ray. Vidéo : Tom Farrell. Montage : Peter Przygodda, Wim Wenders. Assistant-monteur : Barbara von Weitershaussen, Danny Fisher, Chuck McLelland, Chris Pous. Son : Martin Müller, Maryte Kavaliauskas, Gary Steele, Jack Higgins (mixage). Assistant-réalisateur : Pat Kirck. Musique : Ronee Blackley. Technique : Stephan Czapsky, Craig Nelson. Régisseur général : Renée Otto-Gundelach. Interprètes : Gerry Bamman, Ronee Blackley, Pierre Cottrell, Stephan Czapsky, Mitch Dubin, Tom Farrell, Becky Johnston, Tom Kaufman, Maryte Kavaliauskas, Pat Kirck, Edward Lachmann, Martin Müller, Craig Nelson, Timothy Ray, Nicholas Ray, Martin Schäfer, Chris Sievernich, Wim Wenders. Tourné de mars à août 1979 à New York, Poughkeepsie, Malibou.

### 1978 - 1982 : **Hammett**

35 mm, Technicolor, 94 mn. Production : Fred Roos, Ronald Colby, Don Guest. Directeurs de production : Ronald Colby, Robert Huddleston. Executive Producer :

Francis Ford Coppola. Photographie : Philip Lathrop, Joseph Biroc. Assistants-Opérateur : Bill Johnson, Frederic J. Smith, Robert Torres, Todd Henry. Montage : Barry Malkin, Marc Laub, Robert Q Lowet, Rendy Roberts. Son : James Wegg Jr., Richard Goodman, Wylie Stateman. Assistants-réalisateur : Arne Schmidt, Ronald Colby, David Valdes, Daniel Attias. Musique : John Barry, Dean Tavoularis. Eugene Lee. Décor : James Murakami, Bob Goldstein. Technique : Carl Manoogian, Pete Papanickolas, Bob Woodside, Larry Gilhouley. Interprètes : Frederic Forrest (Hammett), Peter Boyle (Jimmy Ryan), Marilu Henner (Kit Conger/Sue Alabama), Roy Kinnear (Eddie Hagedorn), Elisha Cook (Eli, le chauffeur de taxi), Lydia Lei (Crystal Ling), R.G. Armstrong (O'Mara), Richard Bradford (Tom Bradford), Michael Chow (Fong Wei Tau), Sylvia Sidney (Donaldina Cameron), Samuel Fuller (joueur de billard), David Patrick Kelly, Jack Nance, Elmer L. Kline, Royal Dano, Lloyd Kino, Fox Harris, Rose Wong, Liz Robertson, Jean-François Ferreol, Alison Hong, Hank Worden.

1982 : **L'Etat des choses** *(Der Stand der Dinge)*
35 mm, noir et blanc, 124 mn (version originale), 120 mn (version allemande, dont Wenders lui-même a coupé 4 mn). Producteur exécutif : Chris Sievernich. Production : Gray City, Inc. (New York), V.O. Filmes (Lisbonne) pour Road Movies GmbH (Berlin), Wim Wenders Produktion (Berlin), Pro-ject Filmproduktion (Munich), Zweites Deutsches Fernsehen (Mayence). Directeurs de production : Antonio Conçalo (Lisbonne), Steve McMillan (Los Angeles). Scénario : Wim Wenders, Robert Kramer. Photographie : Henri Alekan, Martin Schäfer, Fred Murphy. Montage : Barbara von Weitershausen, Peter Przygodda, John Neuburger, Danny Fischer. Son : Maryte Kavaliauskas, Martin Müller, Michael Carton (mixage). Assistants-réalisateur : Carlos Santana (Portugal), Greg Gears (Los Angeles). Musique : Jürgen Knieper. Chansons : Joe Ely, The Del Byzanteens, David Blue, X, Allen Goorwitz. Décor : Ze Branco. Technique : Joaquim Amaral, Manual Carlo Silva, Paul Soares, Pedro Efe, Domingos Guicho (au Portugal), Jack English, Dave Bodin, Tom Termeer, Naia Haast, Scott Butterfield (à Los Angeles). Interprètes : Patrick Bauchau (Friedrich Munro), Isabelle Weingarten

(Anna), Rebecca Pauly (Joan), Jeffrey Kime (Mark), Geoffrey Carey (Robert), Camilla Mora (Julia), Alexandra Auder (Jane), Paul Getty III (Dennis, scénariste), Viva Auder (Kate, la scriptgirl), Samuel Fuller (Joe, le cameraman), Artur Semedo (le directeur de production), Francisco Baiao (l'opérateur du son), Robert Kramer (caméraman), Allen Goorwitz (Gordon), Roger Corman (l'avocat), Martine Getty (la secrétaire), Monty Bane (Herbert), Janet Rasak (Karen), Judy Moradian (la serveuse). Tourné au printemps 1981 sur la côte portugaise, à Lisbonne et à Hollywood.

1984 : **Paris, Texas**

35 mm, couleur (Kodak 5247), 145 mn. Production : Don Guest. Directeur de production : Karen Koch. Executive Producer : Chris Sievernich, Anatole Dauman. Scénario : Sam Shepard, avec la collaboration de L.M. Kit Carson. Photographie : Robby Müller. Assistants-opérateur : Agnès Godard, Pim Tjujerman. Montage : Peter Przygodda, Barbara von Weitershausen. Musique : Ry Cooder. Son : Jean-Paul Mugel. Assistants-réalisateur : Claire Denis, Michael Helfand. Décor : Kate Alteman, Lorrie Brown. Technique : Greg Gardiner, Scott Guthrie, Kevin Galbraith. Interprètes : Harry Dean Stanton (Travis), Nastassja Kinski (Jane), Dean Stockwell (Walt), Aurore Clément (Anne), Hunter Carson (Hunter), Bernhard Wicki (docteur Ulmer), Sam Berry (le pompiste), Claresie Mobley (employée de la société de location de voitures), Edward Fayton (l'ami de Hunter), Justin Hoog (Hunter, à trois ans), Socorro Valdez (Carmelita), Tom Farrell (le fou sur le pont). Tourné du 29 septembre au 11 décembre 1983 au Texas, en Californie, au Nouveau-Mexique.

## Les journaux cinématographiques

1983 : **Letter from New York**

16 mm, couleur, 16 mn. Production : Chris Sievernich/ Gray City, Inc. Scénario, commentaire : Wim Wenders (en français). Photographie : Lisa Rinsler. Son : Maryte Kavaliauskas. Montage : John Neuburger. Avec des extraits de **Hammett** et de l'**Etat des choses.** Interprètes : Wim Wenders, Isabelle Weingarten, Tony Richardson et Louis Malle (dans une interview à la télévision), Francis Ford

Coppola et des membres de l'équipe de **Hammett.** Tourné en mars 1982 à New York.

1982 : **Chambre 666 (N'importe quand...)**
16 mm, couleur, 21 ou 45 mn. Production : Chris Siever-nich/Gray City, Inc. Scénario, commentaire : Wim Wenders (en français). Photographie : Agnès Godard. Son : Jean-Paul Mugel. Montage : Chantal de Vismes. Interprètes (dans l'ordre d'apparition) : Jean-Luc Godard, Mike de Leon, Romain Goupil, Paolo Rocha, Paul Morrissey, Noel Simsolo, Werner Herzog, Michelangelo Antonioni, Maroun Baghbadi, Steven Spielberg, Wim Wenders, Yilmaz Güney (dont n'on entend que la voix). Tourné en mai 1982 à Cannes.

1985 : **Tokyo-ga**
16 mm, couleur, 92 mn. Production : Chris Sievernich. Scénario, commentaire : Wim Wenders. Photographie : Ed Lachman. Son : Hartmut Eichgrün. Montage : John Neuburger, Wim Wenders, Solveig Dommartin. Interprètes : Chishu Ryu, Yuharu Atsuta, Werner Herzog. Tourné en avril 1983 et 1984 à Tokyo.

Des extraits de ces journaux cinématographiques doivent servir, lorsqu'ils seront en nombre suffisant, au montage d'un film d'environ 90 mn. Titre prévu : *Gegenschuss* (contre-champ).

### Mise en scène de théâtre

**Par les villages** *(Ueber die Dörfer)* - Poème dramatique de Peter Handke.

Créé le 8 août 1982 pendant les Salzburger Festspiele dans la Felsenreitschule. Mise en scène : Wim Wenders, Hannes Klett. Décor : Jean-Claude Chambas, Philippe Boudin. Costumes : Domenika Kaesdorf. Musique : Jürgen Knieper. Assistant de la mise en scène : Hans-Jürgen Stockerl. Accessoiriste : Franz Holesovsky, Ark Nitsche. Directeur technique : Gero Zimmermann. Direction technique et chef-éclairagiste : Klaus Diers. Maquillage : Dorothea Arnold, Wilhelm Riede. Interprètes : Libgart Schwarz (Nova), Martin Schwab (Gregor), Karin Baal (l'intendante du chantier), Rüdiger Vogler (Hans, le frère de Gregor), Jörg Hube (Anton), Edd Stavjanik (Ignaz), Tom Krinzinger (Albin), Elisabeth Schwarz (Sophie, la sœur de Gregor), Else Quecke (la vieille femme), Günter Steinacher (l'enfant de Hans).